Ryswick

RÉPUBLIQUE
BATAVE

Anvers

Bruxelles • Waterloo
Tournai • Fontenoy
Mons Jemmapes Namur Liège
Malplaquet

OIE Rocroi
Vervins Mézières Sedan Longwy Luxembourg Trèves

Reims Varennes
Marne Valmy Verdun Metz
Épernay Châlons
CHAMPAGNE Bar-le-Duc LORRAINE Lunéville Strasbourg

Troyes Chaumont
Auxerre Langres Vesoul

FRANCHE-
Dijon Besançon COMTÉ
NIVERNAIS COMTÉ
Nevers BOURGOGNE Lons-le-Saunier

NNAIS Mâcon Bourg

Lyon
LYONNAIS Chambéry St-Pierre
Romans Grenoble
le Puy DAUPHINÉ
Privas Gap

Mende COMTAT
VENAISSIN Digne
Nîmes PROVENCE Cannes
Aix Fréjus Nice
Montpellier Marseille Toulon

ALLEMAGNE

Cologne
Coblentz

Danube

DUCHÉ
DE
WURTEMBERG

L. de Constance

RÉP. HELVÉTIQUE
Berne

SAVOIE

ITALIE
Po
PIÉMONT

Golfe
de
Gênes

CORSE
Bastia
Ajaccio

Golfe du Lion

MER MÉDITERRANÉE

Heath's Modern Language Series

FRENCH READER FOR BEGINNERS

BY

ELMER O. WOOLEY, Ph.D.

CRITIC IN FRENCH, INDIANA UNIVERSITY

AND

HENRI L. BOURDIN, L.-ès-L. (PARIS)

LECTURER IN FRENCH LITERATURE
UNIVERSITY OF CALIFORNIA

ILLUSTRATED BY
BATES GILBERT

D. C. HEATH & COMPANY, PUBLISHERS

BOSTON   NEW YORK   CHICAGO

PREFACE

In adding another to the numerous elementary Readers in French, the authors desire to call attention to certain features of the new book.

1. The STORIES are extremely simple. They are graded in difficulty, yet even the latter stories are easier than most available reading material in elementary French. They are not mere anecdotes, nor lengthy stories: most of them can be read with ease in one recitation. The direct narrative style holds the student's attention and encourages him to successful imitation. The answering of the *questionnaires* leads to an oral reproduction of the stories from the points of view of the various characters. Such exercises lend themselves nicely to written work. The more ambitious students can try their skill in developing in full the stories briefly outlined in the last few exercises.

2. The VERB is developed logically in the course of the exercises. The first half of the book is told in the present, the second half in the past. The reading matter is thus suitable to accompany the average beginning book, which regularly introduces the present tense early and the past definite late. The exercises stress the three regular conjugations, the two auxiliaries, and twenty of the most important irregular verbs. The tenses are introduced in the following order: present, future, past indefinite, imperfect, conditional, past definite and various compound tenses. The subjunctive is found in the latter stories and exercises. As each new tense is added, the twenty-five typical verbs are conjugated in that tense. This *cumulative method* leads to the development of the

principal parts, the synopsis and full conjugation of the verb.

3. The EXERCISES of Part I treat various points of syntax. As shown above, the verb finds treatment throughout the exercises. In all cases the exercises follow the reading closely: each story features the points of grammar treated in the corresponding exercise.

4. The VOCABULARY is composed almost exclusively of practical words, which find frequent repetition in the stories. The active vocabulary is limited, if we eliminate irregular verb forms and grammatical nomenclature.

5. The pronoun of address *vous* is emphasized exclusively in the stories and exercises.

The authors hereby express their thanks to Professor E. C. Hills of the University of California, and to Dr. Alexander Green of D. C. Heath and Company for their helpful suggestions as to the disposition of the material; to Mr. Leon Verriest of Indiana University for a careful reading of the manuscript; and to Miss Lillian Hunter, a student of the Bloomington High School, who used the manuscript as her textbook.

E. O. W.
H. L. B.

BLOOMINGTON, INDIANA
April, 1922

TABLE DES MATIÈRES

PREMIÈRE PARTIE

HISTOIRES

DEUXIÈME PARTIE

EXPRESSIONS USUELLES POUR
LA CLASSE

A. — L'Alphabet français

a	*a*	**g**	*gé*	**n**	*enne*	**u**	*u*
b	*bé*	**h**	*ache*	**o**	*o*	**v**	*vé*
c	*cé*	**i**	*i*	**p**	*pé*	**w**	*double vé*
d	*dé*	**j**	*ji*	**q**	*ku*	**x**	*iks*
e	*é*	**k**	*ka*	**r**	*erre*	**y**	*i grec*
f	*effe*	**l**	*elle*	**s**	*esse*	**z**	*zède*
		m	*emme*	**t**	*té*		

Épelez les mots **grand'mère** et **Paris**.

a. Gé-erre-a-enne-dé-apostrophe-emme-é accent grave-erre-é.

b. Pé majuscule-a-erre-i-esse.

B. — La Prononciation

Nous allons prononcer cette liste de nouveaux mots.

Voulez-vous commencer; parlez plus haut.

Donnez-moi la règle des voyelles nasales: — Une voyelle est nasale devant **m** ou **n**, quand ces consonnes ne sont pas suivies par une voyelle ou un autre **m** ou **n**.

Il a mal prononcé le mot.

Il n'a pas accentué le mot correctement.

L'accent aigu, grave, circonflexe.

Donnez la règle des consonnes finales: — Elles sont généralement muettes, excepté **c, r, f, l, q**.

Faites une liaison dans cette expression.

Prononcez les mots français syllabe par syllabe, en commençant chaque syllabe par une consonne, s'il se peut.

Maintenant prononcez ces mots ensemble après moi.

Exercez-vous à prononcer ces mots pour demain.

C. — La Grammaire

Les parties du discours au point de vue français: —
L'article, le nom, le pronom, l'adjectif, le verbe, le
participe, l'adverbe, la préposition, la conjonction,
l'interjection.

L'article: défini ou indéfini.

> **De le** est contracté en **du.**

Le nom ou le substantif:

> *a.* **Le genre:** le masculin, le féminin.
>
> *b.* **Le nombre:** le singulier, le pluriel.
>
> *c.* De quel genre est ce nom?
>
> *d.* Ajoutez **s** au singulier pour former le pluriel.

L'adjectif: possessif, démonstratif; le nombre cardinal
(ordinal).

> *a.* L'adjectif s'accorde en genre et en nombre avec le
> nom qu'il qualifie.
>
> *b.* La comparaison de l'adjectif: Les trois degrés —
> le positif, le comparatif, le superlatif.

Le pronom: interrogatif, démonstratif, personnel, relatif,
possessif, conjonctif, disjonctif.

> *a.* Quel est l'antécédent de ce pronom relatif?
>
> *b.* Le pronom **nous** peut être le sujet du verbe de la
> phrase, le complément direct ou le complément
> indirect.

Le verbe: régulier, irrégulier, réfléchi, transitif, intran-
sitif, auxiliaire.

> *a.* Donnez les temps primitifs du verbe **être.**
>
> *b.* Le mode: l'indicatif, le subjonctif, l'impératif.
>
> *c.* Les temps simples; les temps composés; les temps
> passés.
>
> *d.* Mettez ce verbe à l'imparfait.
>
> *e.* Employez ce verbe au pluriel (au présent).
>
> *f.* Conjuguez le présent de l'indicatif du verbe — à la
> forme négative, affirmative, interrogative.

g. Les verbes terminés à l'infinitif par **er** sont de la première conjugaison.

h. On dérive le futur de l'infinitif; **r** est la lettre caractéristique du futur.

i. L'accord du participe passé: — Le participe passé conjugué avec **être** s'accorde avec le sujet; le participe passé conjugué avec **avoir** s'accorde avec le complément direct, quand celui-ci précède.

D. — La Leçon de Lecture

Ouvrez votre livre de lecture.

A quelle page se trouve la leçon?

Commencez la lecture.

Continuez à lire; lisez plus vite.

La classe n'a pas entendu ce que vous avez lu.

Comment? Plaît-il?

Faites attention, s'il vous plaît.

Traduisez ce paragraphe.

C'est bien. C'est cela.

Comment traduit-on le mot **gâteau?** — Le mot **gâteau** se traduit par *cake*.

Comprenez-vous cette expression? — Non, monsieur, (mademoiselle, madame), je ne la comprends pas.

Cherchez le mot dans le vocabulaire.

Comment dit-on *means* en français? — On dit **veut dire** ou **signifie**.

Le mot **gâteau** signifie (veut dire) *cake* en anglais.

Répétez la phrase; parlez distinctement.

Expliquez ce mot en français.

Quel est le contraire du mot **grand?**

Répondez en français par des phrases complètes.

Apprenez par cœur cet idiotisme.

Lisez encore une fois le texte français.

Fermez vos livres.

E. — Exercice oral

Répondez à ces questions (aux questions suivantes).

Dites en français ——.

Faites une question et posez-la à votre voisin.

Vous n'avez pas besoin de vous lever; restez assis.

Corrigez la réponse; faites encore une question.

Je ne me rappelle pas le mot français pour ——.

Imaginez que la princesse raconte l'histoire; prenez son rôle.

Racontez l'histoire au passé (à la première personne).

Cela suffit.

F. — Exercice écrit

Allez au tableau noir.

Prenez la brosse et effacez ce qui est écrit au tableau.

Mettez au tableau le présent du verbe **vendre.**

Écrivez votre nom au bas de votre exercice et allez à votre place.

Maintenant, lisez cette histoire, et si vous y trouvez des fautes, levez la main.

Alice a oublié de mettre l'accent grave sur l'e du mot **très.**

Il faut commencer ce mot par une majuscule (minuscule).

Avez-vous quelque chose à ajouter?

Rangez vos livres; nous allons écrire une dictée.

Prenez une feuille de papier.

Au haut de la page écrivez « Dictée Française ».

Je vais lire en français et vous allez écrire en français ce que je lis.

Écoutez bien; je ne vais lire que deux fois.

Pensez toujours à la signification des phrases.

J'ai fini la dictée; maintenant, je vais la relire.

Pliez les copies, écrivez votre nom et la date, donnez-les-moi.

Maintenant, je vous donne la leçon pour demain.

Écrivez-la à l'encre dans votre carnet.

Préparez à l'encre ce devoir pour le remettre demain.

Repassez ces exercices; demain nous allons avoir un examen.

Écrivez une composition originale de cent à deux cents mots sur le sujet suivant: —.

FRENCH READER FOR BEGINNERS

PREMIÈRE PARTIE

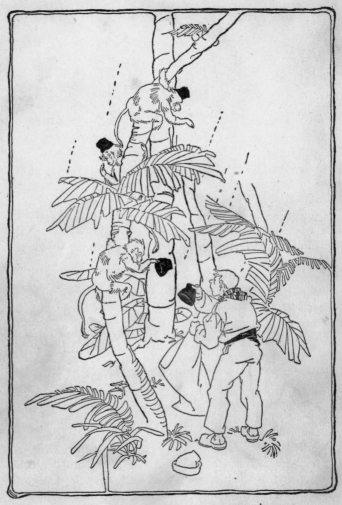

MAIS LES SINGES RESTENT ASSIS SUR L'ARBRE
ET RIENT

Voir page 17

FRENCH READER FOR BEGINNERS

1. Bruno et les gâteaux

Louise est une petite fille. Elle a un chien. Le chien s'appelle Bruno.

Bruno est très intelligent. Il va souvent avec un panier chez le boulanger et rapporte du pain et des gâteaux à la maison. 5

Un jour Louise lui dit: «Bruno, voici le panier. Allez à la boulangerie et rapportez six gâteaux. »

Bruno prend le panier et court vite chez le boulanger.

Le boulanger voit un morceau de papier dans le panier. Il prend le papier et lit ces mots: «Mettez six gâteaux dans le panier. » 10

Le boulanger met les six gâteaux dans le panier, puis il présente un gâteau au chien: « Bruno, » dit-il, « voici un gâteau pour vous. » 15

Le chien aboie, « Merci! » 20
mange le gâteau, prend le panier dans sa gueule et s'en va.

En chemin il rencontre un autre chien qui voit les gâteaux dans le panier, saisit un gâteau et le mange.

Bruno continue son chemin, mais il rencontre quatre autres chiens, qui lui prennent quatre autres gâteaux 25 dans le panier.

« Oh ! » dit Bruno, « il ne reste plus maintenant qu'un

gâteau dans le panier. Je ne peux pas rentrer à la maison avec un seul gâteau. Je vais manger ce gâteau. »

Bruno mange le dernier gâteau et arrive à la maison avec le panier vide.

QUESTIONNAIRE I

1. Quel est le titre de cette histoire?
2. Comment s'appelle la petite fille?
3. Qu'est-ce qu'elle a?
4. Avez-vous un chien?
5. Comment s'appelle-t-il?
6. Est-il intelligent?
7. Où va souvent Bruno?
8. Qu'est-ce que Louise dit un jour à Bruno?
9. Que fait Bruno?
10. Que voit le boulanger dans le panier?
11. Quels sont les mots écrits sur le papier?
12. Que fait le boulanger?
13. Le chien dit-il « Merci ! » au boulanger?
14. Que rencontre Bruno en chemin?
15. Combien de gâteaux les autres chiens mangent-ils?
16. Pourquoi Bruno mange-t-il le dernier gâteau?

EXERCICE 1

A. *Idiotismes:* A la maison; chez le boulanger; à la boulangerie; s'appelle; s'en va; en chemin; voici; ne....que.

B. *Étudiez le présent du verbe* être.

C. *Conjuguez:* 1. Je suis intelligent. 2. Suis-je intelligent? 3. Je ne suis pas petite. 4. Ne suis-je pas petite?

D. *Imitez:* la fille, les filles, une fille, des filles.

    1. chien.   3. boulanger.

    2. panier.   4. gâteau.

          5. maison.

E. *Racontez cette histoire en français.*

F. *Traduisez:* 1. A little boy has a dog. 2. He is called Bruno. 3. One day the dog goes to the baker's. 4. He takes

a basket in his mouth.   5. He sees the baker at the bakery.
6. The baker puts some cakes in the basket.   7. On the way
Bruno meets four dogs.   8. They take four cakes from him.
9. Bruno says: "I am going to eat the last cake."   10. He is
very intelligent.

2. La vieille dame et ses chats

Une vieille dame a deux chats, un gros chat et un
petit chat.

Un jour un ami entre dans la chambre où la vieille
dame est assise. Il remarque au bas de la porte deux
trous, un grand trou et un petit trou.   5

« Pourquoi ces deux trous dans la porte ? » dit-il.

« C'est pour laisser entrer les chats. »

« Mais pourquoi y a-t-il deux trous ?   Est-ce qu'un
trou n'est pas suffisant ? »

« Le gros chat ne peut pas passer par le petit trou, » 10
répond la vieille dame.

« Non, mais le petit chat peut toujours passer par le
grand trou. »

« Tiens ! c'est vrai, » dit la vieille dame et elle éclate
de rire.   15

QUESTIONNAIRE II

1. Quel est le titre de cette histoire?
2. Avez-vous un chat chez vous?
3. Votre chat est-il gros ou petit?
4. Combien de chats la vieille dame a-t-elle?
5. Où la vieille dame est-elle assise?
6. Qui entre dans sa chambre?
7. Que remarque-t-il?
8. Qu'est-ce qu'il demande à la vieille dame?
9. Quelle est sa réponse?
10. Pourquoi y a-t-il deux trous dans la porte?
11. Pourquoi un seul trou est-il suffisant?

EXERCICE 2

A. *Idiotismes:* Entrer dans; passer par; au bas de la porte; éclater de rire.

B. *Étudiez le présent du verbe* avoir.

C. *Conjuguez:* 1. J'ai un chat. 2. Ai-je un chien? 3. Je n'ai pas deux chats. 4. N'ai-je pas six gâteaux?

D. *Quel est le féminin de:*

petit		gros
intelligent		assis
vieux	dernier	grand

E. *Remplacez les tirets par un adjectif convenable:*

Un —— chat, la —— fille, un —— ami, le —— gâteau, une —— dame, le —— boulanger, une —— porte.

F. *L'ami raconte sa visite chez la vieille dame.*

G. *Traduisez:* The old lady has a big cat and a little cat. 2. There are two holes at the bottom of the door. 3. One day a friend enters the room. 4. The old lady is sitting in her (sa) room. 5. The friend notices a large hole at the bottom of the door. 6. "Why have you two holes in the door?" 7. She says: "One hole is not enough." 8. The friend answers: "The big cat can pass through the big hole. 9. The little cat can pass through the big hole also (aussi)."

3. Le vieil homme de la forêt

Un petit garçon demeure près d'une grande forêt. Sa mère est très pauvre.

Le petit garçon dit à sa mère: « Mère, je vais aller dans la forêt chercher des fraises. » Il prend un panier et s'en va dans la forêt. Il trouve beaucoup de fraises 5 et les cueille. Son panier est bientôt plein de belles fraises rouges, alors le petit garçon reprend le chemin de la maison.

Tout à coup il aperçoit un vieil homme debout sous un arbre. Le vieillard a une grande barbe grise et de 10 longs cheveux blancs. Il a aussi un panier à la main, mais son panier est vide. « Voulez-vous me donner vos fraises? » dit 15 le vieillard.

« Non, » répond le petit garçon, « ma mère est pauvre et je vais vendre ces fraises pour lui acheter 20 du pain. »

L'homme reprend tristement: « Mon enfant est malade. Il aime beaucoup les fraises, et je ne peux pas en trouver. Ayez la bonté de me donner vos fraises. » 25

Le petit garçon se dit: « Le pauvre homme, je vais lui donner ces fraises, je peux en trouver d'autres. » Il présente les fraises au vieillard et lui dit: « Prenez-les pour votre enfant malade. »

« Donnez-moi votre panier avec les fraises, » dit 30 l'homme, « vous pouvez garder celui-ci. »

« Je veux bien, » dit le petit garçon. Il donne son panier plein de fraises au vieil homme, prend le panier

du vieillard, retourne dans la forêt et le remplit de fraises.
Puis il revient à la maison.

Sa mère ouvre la porte.

« Mon enfant, » dit-elle, « qu'avez-vous là?   Où est
5 votre panier? »

« J'ai trouvé un vieil homme dans la forêt.   Il a un
enfant malade.   Je lui ai donné mon panier avec mes
fraises.   Il m'a donné son panier. »

« Mais, » dit la mère, « c'est un panier d'or.   Vous
10 avez rencontré le vieil homme de la forêt, et parce que
vous êtes bon et généreux, il vous a donné ce panier.
Allons maintenant à la ville vendre le panier; nous avons
du pain pour le reste de notre vie. »

QUESTIONNAIRE III

1. Où demeure le petit garçon?
2. Demeurez-vous près d'une grande forêt?
3. Le petit garçon est-il riche ou pauvre?
4. Que dit le petit garçon à sa mère?
5. Allez-vous quelquefois dans la forêt chercher des fraises?
6. Est-ce maintenant la saison des fraises?
7. De quoi le panier est-il rempli?
8. Que voit le petit garçon sous l'arbre?
9. Décrivez la barbe et les cheveux du vieil homme.
10. Que demande-t-il au petit garçon?
11. Pourquoi le petit garçon ne donne-t-il pas ses fraises au vieillard?
12. Pour qui le vieillard demande-t-il les fraises?
13. Pourquoi le petit garçon donne-t-il maintenant ses fraises au vieil homme?
14. Que reçoit-il du vieillard?
15. Qu'est-ce que la mère dit?
16. Pourquoi l'homme donne-t-il le panier d'or au petit garçon?
17. Préférez-vous un panier de fraises ou un panier d'or? (Je préfère ——).

EXERCICE 3

A. *Idiotismes:* Reprendre le chemin de la maison; tout à coup; à la main; je veux bien; remplir de; avoir la bonté de.

B. *Étudiez le présent des verbes* donner, dire; *les adjectifs possessifs.*

C. *Conjuguez:* 1. Je cherche mon chien. 2. J'aime mon ami. 3. J'entre dans ma chambre. 4. Je dis cela à mes amis. 5. Est-ce que je ne dis pas cela à la vieille dame?

D. *Racontez l'histoire:* Demeure —— dit —— aller chercher —— trouve —— reprend —— aperçoit —— barbe —— cheveux —— panier —— voulez-vous —— vendre —— malade —— trouver d'autres —— pouvez garder —— remplit —— ouvre la porte —— je lui ai donné —— panier d'or —— du pain pour le reste de la vie.

E. *Traduisez en français:*

1. He says that.
2. We say "Thanks!"
3. Do they say that?
4. The old lady says "No!"
5. Do you meet the old man?
6. We do not keep the basket.
7. Who lives in the forest?
8. My friends like the strawberries.
9. Does he find his basket?
10. The little boy returns home.

F. *Écrivez en français:* 1. A little boy goes into the forest to look for strawberries. 2. He picks many strawberries. 3. He fills his basket with strawberries. 4. All at once he meets an old man. 5. The old man says: "Have the kindness to give me your basket." 6. The little boy replies: "I am willing," and he presents his strawberries to the old man. 7. The old man gives his basket to the little boy and starts on his way home. 8. The little boy returns home, opens the door and looks for his mother. 9. She says: "The old man of the forest always gives (**des**) gold baskets to (**aux**) good little boys." 10. Sell your basket in the city.

4. Le Vent et le petit garçon

Un petit garçon est assis sous un arbre près d'une rivière. Il mange une beurrée.

Tout à coup le Vent arrive. Il voit le petit garçon avec sa beurrée. Il souffle et souffle, et la beurrée tombe
5 dans la rivière.

« Méchant Vent, » dit le petit garçon, « donnez-moi ma beurrée, j'ai grand'faim. »

« Cela m'est impossible, elle est dans la rivière. Mais voici une belle nappe. Mettez la nappe sur une table
10 et dites: ‹ Pain, beurre, viande, › et tout cela va venir sur la table. »

« Ah, c'est très bien, » dit le petit garçon et il prend la nappe et la met dans sa poche.

Il entre dans une auberge.

15   « Bonjour, mon ami, » dit l'aubergiste. « Que désirez-vous? »

« Je désire une table, » dit le petit garçon.

« Voulez-vous une table et rien à manger? » dit l'aubergiste.

20   « Oui, » dit le petit garçon, « apportez-moi seulement une table. »

L'aubergiste apporte une table dans la chambre où se trouve le petit garçon, et s'en va.

Le petit garçon tire la nappe de sa poche et la met sur
25 la table.

« Pommes de terre, pain et viande, » dit-il, et immédiatement apparaissent sur la table des pommes de terre, du pain et de la viande.

« C'est magnifique! » dit le petit garçon et il se met à
30 table.

« C'est curieux, » dit l'aubergiste, « il dit qu'il ne veut rien à manger et pourtant un garçon a toujours faim. Je vais voir ce qu'il fait. »

L'aubergiste passe alors dans le jardin. Il s'avance tout doucement et ouvre la fenêtre de la chambre où le petit garçon est assis. Il entend ce que dit le petit garçon et voit toutes les bonnes choses qui apparaissent sur la table. 5

« Mais, c'est une nappe merveilleuse,» dit l'aubergiste. « Il me la faut à tout prix.» Et pendant la nuit il entre dans la chambre où le petit garçon est endormi. Il prend la nappe et la met dans sa poche.

Le lendemain matin le petit garçon se réveille. «J'ai 10 faim,» dit-il. En vain il cherche la nappe; il ne peut pas la trouver.

Il sort de la maison et va s'asseoir sous le grand arbre.

« Méchant Vent,» dit-il, « Vous avez volé ma nappe.»

« Non,» dit le Vent, « Je n'ai pas volé votre nappe. 15 Mais voici un mouton. Dites au mouton: ‹ Je veux une pièce d'or,› et le mouton va ouvrir la bouche et une pièce d'or va tomber à terre.»

QUESTIONNAIRE IV

1. Où est assis le petit garçon?
2. Qui arrive?
3. Où la beurrée tombe-t-elle?
4. Le Vent donne-t-il la beurrée au petit garçon?
5. Pourquoi?
6. Qu'est-ce qu'il lui donne?
7. Qui rencontre-t-il à l'auberge?
8. Que demande le petit garçon à l'aubergiste?
9. Qu'est-ce que le petit garçon fait dans sa chambre?
10. Que fait alors l'aubergiste?
11. Que fait l'aubergiste pendant la nuit?
12. Quand le petit garçon se réveille-t-il?
13. Qui trouve-t-il sous le grand arbre?
14. Quel est le second cadeau du Vent?
15. Quand on dit au mouton, « Je désire une pièce d'or, » qu'est-ce qui arrive?

EXERCICE 4

A. *Idiotismes:* Se mettre à table; à tout prix; sortir de; il me la faut.

B. *Étudiez l'impératif; le présent du verbe* aller; *le pluriel des noms.*

C. *Conjuguez:* 1. Je vais dans la forêt.   2. Je ne vais pas à l'auberge.   3. Est-ce que je vais dans mon jardin?

D. *Imitez:* chercher, cherchons notre ami; cherchez vos fraises.

rencontrer.   donner.

trouver.   présenter.

retourner.

E. *Mettez ces phrases à la forme négative.*

F. *Mettez au pluriel:* 1. Mettez le gâteau dans le panier.
2. Il prend le morceau de papier.   3. Le cheveu blanc.
4. Notre mère est vieille.   5. Donnez-moi une beurrée (pl. **des**).
6. Il y a un bâton dans le sac.   7. La mère trouve son fils
(*son*).   8. Le cheval (*horse*) est un animal.

G. *Racontez l'histoire jusqu'à l'endroit* (place) *où nous sommes arrivés.*

H. *Traduisez en français:*

1. He goes to his room.
2. Do we go home?
3. Don't go to the river.
4. She is going to the inn.
5. The mothers go to the bakery.
6. Let us live near the forest.
7. Eat the four cakes.
8. Do not enter my room.
9. Do not pass through the little door.
10. Let us give our strawberries to the little boy.
11. Bring me a basket.

I. *Écrivez en français:* 1. All at once the Wind sees a little boy sitting under a tree.   2. The little boy is very hungry.
3. He says to the Wind: "Give me my slice of bread and butter, I must have it at any price."   4. The Wind gives the little boy a fine table-cloth.   5. The little boy takes the cloth and goes to an inn.   6. He says to the innkeeper: "Bring me a table."   7. He sits down at the table and eats potatoes,

bread and meat.   8. The innkeeper sees all the good things
on the table.   9. He steals the table-cloth during the night.
10. The next morning the little boy goes out of the inn and
meets the naughty Wind under the large tree.

5. Le Vent et le petit garçon (suite)

Le petit garçon revient à l'auberge.

« Je désire une chambre, » dit-il cette fois.

L'aubergiste lui dit encore: « Ne voulez-vous rien à
manger ? »

« Non, » dit le petit garçon, « je suis fatigué, je veux 5
dormir. »   Et il entre dans la chambre, suivi de son
mouton; mais l'aubergiste, étonné de voir le petit garçon
avec un mouton, passe vite dans le jardin et ouvre la
fenêtre de la chambre.

Il entend le petit garçon dire au mouton: « Je désire 10
une pièce d'or. »

Le mouton ouvre la bouche et une pièce d'or tombe sur
le plancher.

Le petit garçon rit et dit: « C'est superbe; » et il
met la pièce d'or dans sa poche.   15

« Je désire une pièce d'or, » répète-t-il, et une autre
pièce d'or tombe sur le plancher.

« C'est magnifique ! » dit le petit garçon; « demain
matin je vais faire un bon déjeuner, » et il se couche près
du mouton qui s'endort lui aussi sur le plancher.   20

Le petit garçon se réveille le lendemain matin. Il ne
voit plus le mouton. « Où est mon mouton ? » dit-il
tristement.

Il retourne sous le grand arbre.

« Méchant Vent, » dit-il, « vous avez volé mon mouton. » 25
« Non, » dit le Vent, « je n'ai pas volé votre mouton.
Mais voici un sac. Il y a un grand bâton dans le sac.
C'est un bâton magique. Allez dans votre chambre et

mettez le sac sur le plancher. Dites très haut: « Je désire mille dollars, » puis couchez-vous. Faites bien exactement ce que je vous dis et soyez tranquille. »

Le petit garçon rentre à l'auberge. Il va à sa chambre,
5 met le sac sur le plancher et dit très haut: « Je désire mille dollars. »

L'aubergiste qui est encore dans le jardin entend ce que dit le petit garçon.

« Mille dollars, » dit l'aubergiste, « c'est une fortune,
10 il me faut ce sac. »

Pendant la nuit il pénètre dans la chambre où le petit garçon est endormi. Il ouvre le sac. Mais le bâton saute du sac et bat l'aubergiste. « Au secours, au secours ! » s'écrie-t-il.

15 Le petit garçon se réveille et rit de voir l'aubergiste battu par le bâton. « Où est ma nappe ? » lui demande-t-il.

« La voici, » dit l'aubergiste et il tire la nappe de sa poche. « Où est mon mouton ? » dit le petit garçon.
20 « Dans l'étable, » répond l'aubergiste.

Le petit garçon va chercher son mouton dans l'étable et s'en va avec la nappe et le mouton, pendant que le bâton continue à battre l'aubergiste.

QUESTIONNAIRE V

1. Que demande le petit garçon à l'aubergiste?
2. De quoi est-il suivi?
3. Pourquoi l'aubergiste est-il étonné?
4. Combien de pièces d'or le petit garçon demande-t-il au mouton?
5. Qui lui vole le mouton?
6. Quel est le troisième cadeau du Vent?
7. Qu'est-ce qu'il y a dans le sac?
8. Quelles sont les instructions du Vent?
9. Pourquoi l'aubergiste pénètre-t-il dans la chambre du petit garçon?
10. Pourquoi ouvre-t-il le sac?
11. Qu'est-ce qui arrive?
12. Qu'est-ce que l'aubergiste donne au petit garçon?
13. Où est le mouton?
14. Que fait le bâton maintenant?
15. Lequel de ces cadeaux préférez-vous?
16. Admirez-vous l'aubergiste?
17. Pourquoi? (Parce qu'il ———).
18. Aimez-vous cette histoire?
19. Est-elle vraie ou inventée?

EXERCICE 5

A. *Idiotismes:* De nouveau; faire un déjeuner; étonné de; ne ... plus; au secours; continuer à.

B. *Observez les impératifs:* ayez, soyez, dites, faites.

C. *Étudiez le présent du verbe* prendre.

D. *Quelle est la contraction de* à + le, à + les, de + le, de + les?

E. *Conjuguez:* 1. Je prends ma nappe. 2. Je ne prends pas mon mouton. 3. Est-ce que je prends mon panier? 4. Est-ce que je ne prends pas mes gâteaux?

F. *Remplacez les tirets par les mots convenables:* 1. Il rentre ——— maison. 2. Louise présente un gâteau ——— chien. 3. L'ami remarque deux trous ——— bas ——— porte. 4. Il reprend le chemin ——— maison. 5. Le vieillard a un panier

—— main.   6. Je vais acheter —— pain.   7. Dites ——
petites filles de s'asseoir.   8. Je dis —— mouton: « Je désire
—— pièces d'or. »   9. Je me couche près —— mouton.   10. Il
donne ses fraises —— enfants malades —— vieil homme.

G. *Racontez la fin de l'histoire.*

H. *Traduisez en français:*

1. Who takes the table-cloth?
2. The dogs take the cakes.
3. Do not take the sheep.
4. We take the basket.
5. Let us not take the strawberries.
6. You are taking some gold pieces.
7. Say to the innkeeper: "I desire a room."
8. Have the goodness to look for my table-cloth.
9. Make me a gold basket.
10. Be generous.
11. Do not say: "I am tired; I wish to sleep."

I. *Écrivez en français:* 1. The Wind gives the little boy a sheep.
2. At the inn the little boy says to the innkeeper: "Have the
goodness to bring me a table."   3. The little boy is followed
by his sheep.   4. The innkeeper is astonished to see the sheep
again.   5. He hears a gold piece fall on the floor.   6. He con-
tinues to repeat: "I desire a gold piece."   7. He goes to the
little boy's room and says: "Have a good breakfast to-morrow
morning."   8. He hears the little boy say to the magic stick:
"Give me a thousand dollars."   9. The little boy laughs to
see the stick jump from the sack and beat the innkeeper.
10. The innkeeper no longer desires the cloth and the sheep.

6. Les singes et les bonnets

Un homme traverse une forêt. Il porte un sac sur le
dos et dans ce sac il y a des bonnets rouges.

Il fait très chaud et le pauvre homme commence à
être bien fatigué. Il s'assied sous un arbre.

5   Il dit: « Il fait bien chaud, et je suis très fatigué.
Je vais dormir un peu, mais mon chapeau est lourd, »
et il enlève son chapeau et le pose sur l'herbe. Puis il

ouvre le sac, en tire un des bonnets et le met sur sa tête.
Bientôt il s'endort.

Il fait lourd et il dort longtemps. Mais l'orage vient
et il fait du vent et de la pluie. Alors l'homme se réveille.
Il ôte le bonnet pour le remettre dans le sac, mais le sac 5
est vide.

« Où sont mes bonnets? Qui a volé mes bonnets? »
dit-il. Il lève les yeux et aussitôt aperçoit ses bonnets.

Sur l'arbre une troupe de singes sont assis et chacun
d'eux porte un bonnet rouge sur la tête. Les singes ont 10
volé les bonnets. L'homme est très en colère. Il crie:
« Donnez-moi mes bonnets, il me faut mes bonnets. »
Mais les singes restent assis sur l'arbre et rient.

« Qu'est-ce que je vais faire, » dit l'homme, « pour
retrouver mes bonnets? »   15

De colère il ôte le sien et le jette dans le sac. Immédiatement tous les singes ôtent les leurs et les jettent sur
l'herbe.

« Merci bien! » dit l'homme. Il ramasse les bonnets,
les remet dans le sac et s'en va à la maison.   20

QUESTIONNAIRE VI

1. Qu'est-ce que l'homme traverse?
2. Qu'a-t-il dans son sac?
3. Quel temps fait-il?
4. Où l'homme s'assied-il?
5. Que dit-il?
6. Qu'est-ce qu'il enlève?
7. Que met-il sur sa tête?
8. Quel temps fait-il pendant qu'il dort?
9. Quand il se réveille, que trouve-t-il?
10. Que voit-il sur l'arbre?
11. Qui a volé les bonnets?
12. Que font les singes?
13. Comment l'homme montre-t-il qu'il est en colère?
14. Pourquoi les singes jettent-ils leurs bonnets sur l'herbe?

15. L'homme est-il content?

16. Trouvez-vous les singes intéressants?

17. Les voyez-vous souvent au cirque ou à la ménagerie?

18. Les singes ressemblent-ils aux hommes?

19. Et les hommes ressemblent quelquefois aux singes, n'est-ce pas?

EXERCICE 6

A. *Idiotismes:* Quel temps fait-il? Il fait beau, mauvais, chaud, froid, lourd, du vent, de la pluie; en colère; de colère; merci bien.

B. *Étudiez le présent des verbes* appeler, jeter, préférer, commencer, manger, dormir; *les pronoms possessifs.*

C. *Conjuguez:* 1. Je mange ma beurrée (tu manges la tienne, etc.) 2. Je préfère mes amis, (tu préfères les tiens). 3. J'appelle mon chien, (tu appelles le tien). 4. Je commence mes leçons, (tu commences les tiennes). 5. Je ne dors pas à l'école.

D. *Complétez ces phrases:* 1. Le singe —— son bonnet sur l'herbe. 2. La petite fille —— Louise. 3. Le mouton —— près du petit garçon. 4. Le vieillard —— les yeux. 5. Nous —— à être fatigués. 6. Il —— du pain pour sa mère. 7. Il se met à table et —— son déjeuner.

E. *L'homme raconte l'histoire.*

F. *Traduisez en français:*

1. Are you sleeping?
2. We commence to eat.
3. They do not buy the caps.
4. Do not sleep at school.
5. They repeat what he says.
6. Does he raise his head?
7. Don't throw your hat on the grass.
8. The monkeys sleep in the trees.
9. You prefer a gold basket.
10. Is the dog called Bruno?

G. *Écrivez en français:* 1. An old man is carrying some red caps in a sack. 2. What kind of weather is it? It is quite warm. 3. His hat is heavy. 4. He puts one of his caps on his head. 5. He is sleeping under a tree. 6. The monkeys begin to put on his caps. 7. It is bad weather and the man awakens. 8. He has one red cap, but he prefers to have all the red caps. 9. He is going to throw his cap in the sack. 10. Then all the monkeys are going to throw theirs on the grass.

7. Perrette et le pot au lait

Perrette est laitière. Elle a une vache.
La vache lui fournit beaucoup de lait.
Perrette va tous les jours porter le lait
à la ville. En ville elle vend le lait.

Aujourd'hui Perrette est en chemin avec 5
un grand pot au lait sur la tête. Le pot
est tout rempli de lait. Perrette est bien
contente. Elle rit et chante.

Elle réfléchit: « Je vais vendre le lait.
Je vais acheter vingt œufs. La vieille 10
poule va couver les œufs.
Bientôt je vais avoir vingt
poussins.

« Je vais bien nourrir les
poussins. Ils vont grandir. Je vais vendre les poulets 15
et m'acheter une belle robe neuve. »

Déjà notre laitière pense qu'elle porte la belle robe
neuve; elle est bien fière et marche lestement. Mais
voilà dans l'herbe une pierre qu'elle ne voit pas. Elle
heurte la pierre du pied et tombe, et le pot au lait se 20
renverse sur l'herbe.

« Oh, ma robe, ma robe, » dit la jeune fille en pleurant,
et elle retourne à la maison avec le pot vide.

Ne vendez pas la peau de l'ours avant de l'avoir tué.

QUESTIONNAIRE VII

1. Comment s'appelle la jeune fille de cette histoire?
2. Qu'est-ce que c'est qu'une laitière?
3. Qu'est-ce que la vache lui fournit?
4. Où va Perrette tous les jours?
5. Pourquoi?
6. Comment porte-t-elle le pot au lait?
7. De quoi le pot est-il rempli?

8. Comment savez-vous (*do you know*) que Perrette est contente?

9. Chantez-vous quelquefois?

10. Qu'est-ce que Perrette va faire?

11. Va-t-elle avoir bientôt vingt poussins?

12. Quand les poussins grandissent, comment s'appellent-ils?

13. Allez-vous vous acheter une belle robe neuve demain?

14. Avez-vous maintenant assez de belles robes?

15. Pourquoi notre laitière est-elle bien fière?

16. Pourquoi tombe-t-elle?

17. Que dit-elle en pleurant?

18. Bâtissez-vous quelquefois des châteaux en Espagne comme Perrette?

19. Réfléchissez-vous toujours avant d'agir (*acting*)?

EXERCICE 7

A. *Idiotismes:* Tous les jours; beaucoup de; voilà.

B. *Étudiez le présent des verbes* finir, rire; aller + *infinitif au lieu du futur.*

C. *Conjuguez:* 1. Je ris souvent.   2. Je ne ris pas maintenant.   3. Je saisis mon bâton.   4. Je nourris mes poussins. 5. Je réfléchis tous les jours.

D. *Remplacez les tirets par la forme convenable du verbe* aller: 1. La vache —— fournir beaucoup de lait.   2. Perrette —— vendre le lait.   3. Nous —— grandir.   4. —— vous marcher lestement?   5. Qui —— tomber?   6. Bruno —— il rapporter les gâteaux?   7. Les autres chiens —— saisir le panier. 8. Nous —— pas éclater de rire.   9. Est-ce que je —— prendre la pièce d'or?

E. *Perrette raconte l'histoire de son malheur.*

F. *Traduisez en français:*

1. My friends laugh.

2. My mother laughs.

3. Who is laughing?

4. Do not laugh.

5. Let us reflect.

6. They seize the milk jar.

7. We do not feed the little chickens.

8. Are you filling the basket?

9. The children do not reflect.

10. He is not filling the sack.

G. *Écrivez en français:* 1. The milkmaid is called Perrette.
2. Her cow furnishes much milk. 3. Every day the milkmaid sells the milk in the city. 4. To-day she is going to
carry a jar filled with milk on her head. 5. She is going to
buy twenty eggs. 6. But she is not going to have twenty
little chickens. 7. She does not sell the chickens. 8. They
do not grow large. 9. Our milkmaid does not think she is
going to strike a stone with her foot. 10. She does not laugh;
she reflects while weeping.

8. Le malin meunier et le sot meunier

Dans un petit village de Normandie il y a deux
meuniers. L'un s'appelle Jacques et l'autre s'appelle
Pierre. Pierre est sot et
ne réussit pas dans ses
affaires, Jacques est intelligent et tous les fermiers
le choisissent pour mou-
dre leur grain.

Pierre n'aime pas
Jacques et Jacques n'aime
pas Pierre.

Un matin Pierre est
couché dans son lit et dort.
Quelqu'un frappe à la
fenêtre. Pierre ouvre la
fenêtre et voit un loup.

« Bonjour, Pierre, » lui
dit le loup, « j'ai faim et je vais manger les poules de
Jacques. »

« Manger les poules de Jacques ! » dit Pierre, « c'est
une bonne idée ! »

« Mais pour cela j'ai besoin de vous, Pierre, » dit le
loup. « Donnez-moi de la farine, alors je vais me blanchir
et les poules vont me prendre pour le meunier. »

« Bon,» dit Pierre, « je vais vous donner de la farine,»
et il blanchit le loup, qui s'en va tout joyeux.

Pierre se recouche dans son lit et s'endort.

Bientôt sa femme entre dans la chambre.

5   « Le loup a mangé vos poules,» lui dit-elle.

« Mes poules? » dit Pierre, « non, vous avez tort, il
a mangé les poules de Jacques.»

« Non, ce sont vos poules qu'il a mangées; regardez,
les plumes sont encore là sur l'herbe.»

10   « Vous avez raison,» dit Pierre très en colère.   « Le
bandit a mangé mes pauvres poules.»

Le lendemain matin le loup va frapper à la fenêtre de
Jacques.

« Que voulez-vous? » dit Jacques.

15   « Je vais manger les poules de Pierre; voulez-vous me
donner de la farine pour me blanchir? »

Mais Jacques est intelligent.   « Non,» dit-il, « vous
allez manger les poules de Pierre, puis vous allez manger
mes belles poules, vous êtes un voleur,» et il prend un
20 grand bâton pour en frapper le loup.   Le loup a peur
et se sauve dans le bois.   Maintenant il n'a plus envie
de revenir chez Jacques.

QUESTIONNAIRE VIII

1. Où demeurent les deux meuniers?
2. Comment s'appellent les deux hommes?
3. Pourquoi Pierre ne réussit-il pas dans ses affaires?
4. Qui frappe un matin à la fenêtre de Pierre?
5. Qu'est-ce que le loup va faire?
6. De qui le loup a-t-il besoin?
7. Que demande-t-il au meunier?
8. Pour qui les poules vont-elles prendre le loup?
9. Qui blanchit le loup?
10. Qu'est-ce que la femme annonce?
11. A-t-elle raison?
12. Pierre dit-il qu'elle a raison?

13. Chez qui le loup va-t-il le lendemain matin?
14. Que désire-t-il?
15. Pourquoi Jacques ne donne-t-il pas de la farine au loup?
16. Que fait Jacques?
17. Le loup revient-il souvent chez Pierre?
18. Avez-vous faim maintenant?
19. Avez-vous envie de revenir à l'école demain?
20. Avez-vous peur de vos maîtres?

EXERCICE 8

A. *Idiotismes:* Avoir faim, besoin, raison, tort, peur, envie, chaud, froid, soif, sommeil.

B. *Étudiez le présent du verbe* ouvrir.

C. *Conjuguez:* 1. J'ouvre la porte. 2. Je n'ouvre pas la fenêtre. 3. Est-ce que je ne réussis pas? 4. Je blanchis le loup. 5. Je ne choisis pas Pierre.

D. *Employez les idiotismes de cet exercice en phrases avec les sujets suivants:* Bruno, les petites filles, nous, les vieillards, la vieille dame.

E. *Le loup raconte l'histoire de ses aventures chez les deux meuniers.*

F. *Traduisez en français:*

1. She opens the door.
2. Do not open the window.
3. We are going to open the window.
4. The millers open the sack.
5. I do open my eyes.
6. Do you succeed in business?
7. Does Jacques seize the wolf?
8. The wolf is reflecting.
9. Who makes the wolf white?
10. Do not choose the big cat.
11. Perrette and her mother fill the milk jar.

G. *Écrivez en français:* 1. I am [a] miller. 2. I live in a little village. 3. One morning I hear someone knocking at my window. 4. A wolf wishes to enter. 5. He needs some flour. 6. I am not afraid of the wolf. 7. I open the window. 8. I make the wolf white. 9. The hens take the wolf for the miller. 10. He is hungry and he eats my fine hens.

9. Lisette, la paresseuse

Lisette est une petite fille très paresseuse. Tous les matins elle dort très tard et arrive en retard à l'école.

Un jour sa mère lui dit:

« Lisette, il est temps de vous lever ! » mais elle ne se
5 lève pas.

Sa mère reprend:

« Lisette, levez-vous, il est tard; vous savez que le maître punit les enfants paresseux; levez-vous donc ! » Mais Lisette n'obéit pas.

10   « Méchante enfant, » dit le lit, « vous ne voulez pas vous lever, eh bien, vous allez venir à l'école quand même. »

Le lit sort de la chambre et de la maison et arrive dans la rue. Les enfants regardent la petite fille et rient.

Bientôt le lit arrive devant l'école. La porte est ouverte
15 et le lit entre dans la salle de classe.

« Bonjour, mes enfants, bonjour. Voilà Lisette, la paresseuse, » dit le lit.

Le maître rit, les enfants rient et se moquent de la pauvre Lisette, qui rougit et se met à pleurer.

20   Alors le lit retourne avec Lisette à la maison.

Lisette se lève maintenant de bonne heure et n'arrive jamais en retard à l'école.

QUESTIONNAIRE IX

1. Quel est le titre de cette histoire ?
2. Quel adjectif emploie-t-on pour décrire une jeune fille qui ne veut pas travailler ?
3. Comment savez-vous que cette petite fille est paresseuse ?
4. Êtes-vous paresseux ?
5. Dormez-vous très tard ?
6. Arrivez-vous souvent en retard à l'école ?
7. Est-ce que vos maîtres vous punissent ?
8. Lisette se lève-t-elle tout de suite, quand sa mère l'appelle ?
9. Que dit le lit ?

10. D'où sort le lit?

11. Pourquoi les enfants rient-ils?

12. Qui rit dans la salle de classe?

13. Votre maître rit-il quand vous arrivez en retard à l'école?

14. Rougissez-vous alors?

15. Le lit donne-t-il une bonne leçon à Lisette?

EXERCICE 9

A. *Idiotismes:* Tous les matins; en retard; obéir à; il est temps de; se moquer de; se mettre à.

B. *Étudiez le présent du verbe* vouloir; *la place de l'adjectif qualificatif.*

C. *Conjuguez:* 1. Je veux des fraises   2. Je ne veux pas être paresseux.   3. Je ne rougis pas.   4. Je punis mon chien quelquefois.   5. Je n'arrive jamais en retard.

D. *Écrivez dix phrases en employant les adjectifs suivants:*

merveilleuse	ouverte	français
grands	blanc	malade
bonne	méchants	vieil
	fière	

E. *Lisette raconte son histoire.*

F. *Traduisez en français:*

1. They wish to eat.
2. The teacher wishes to open the window.
3. We wish to go to school.
4. Who wishes to arrive late?
5. They do not obey (à) their mother.
6. Do you obey your teacher?
7. Is he singing?
8. Let us not punish the pupils.
9. Louise does not blush.
10. The millers are looking at the wolf.

G. *Écrivez en français:* 1. Lisette, you are a very lazy little girl.   2. You sleep late every morning.   3. You are going to arrive late at school.   4. It is time to go to school now. 5. Get up and obey your mother.   6. Lisette makes fun of her poor mother.   7. She does not wish to get up.   8. The bed is going to go to school any way.   9. The children begin to laugh.   10. Lazy children do not rise early.

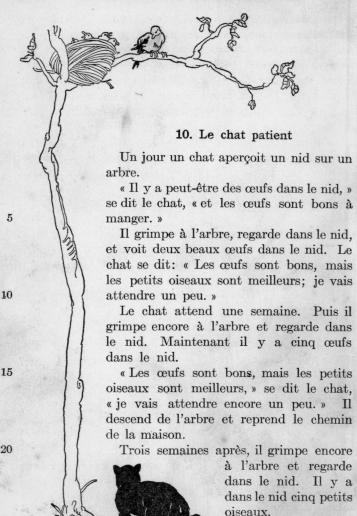

10. Le chat patient

Un jour un chat aperçoit un nid sur un arbre.

« Il y a peut-être des œufs dans le nid, » se dit le chat, « et les œufs sont bons à manger. »

Il grimpe à l'arbre, regarde dans le nid, et voit deux beaux œufs dans le nid. Le chat se dit: « Les œufs sont bons, mais les petits oiseaux sont meilleurs; je vais attendre un peu. »

Le chat attend une semaine. Puis il grimpe encore à l'arbre et regarde dans le nid. Maintenant il y a cinq œufs dans le nid.

« Les œufs sont bons, mais les petits oiseaux sont meilleurs, » se dit le chat, « je vais attendre encore un peu. » Il descend de l'arbre et reprend le chemin de la maison.

Trois semaines après, il grimpe encore à l'arbre et regarde dans le nid. Il y a dans le nid cinq petits oiseaux.

« Les petits oiseaux sont très bons, » se dit

le chat, « mais ces oiseaux sont trop petits. Les oiseaux
sont meilleurs quand ils ont des plumes, je vais attendre un
peu. » Il attend une semaine, deux semaines, trois semaines, quatre semaines. Il vient souvent sous l'arbre,
s'étend sur l'herbe et écoute les petits oiseaux qui crient 5
dans le nid. « Oui, oui, » pense-t-il, « les oiseaux sont
bons quand ils ont des plumes, je vais attendre encore
un peu. »

Mais enfin le chat se dit: « Sans doute, les oiseaux
sont assez gros, je ne vais plus attendre. » Il grimpe 10
à l'arbre et regarde dans le nid. Mais hélas! le nid est
vide. Les oiseaux sont partis.

Le chat est très en colère.

« Les œufs sont bons, » dit-il, « et les petits oiseaux
sont bons aussi; à l'avenir je ne veux plus être patient. » 15

Un tiens vaut mieux que deux tu l'auras.

« A bird in the hand is worth two in the bush. »

QUESTIONNAIRE X

1. Qui aperçoit un nid?
2. Y a-t-il des œufs dans le nid?
3. Le chat a-t-il raison, quand il dit que les œufs sont
bons à manger?
4. Que fait-il?
5. Combien d'œufs voit-il dans le nid?
6. Pourquoi le chat attend-il?
7. Combien d'œufs trouve-t-il la seconde fois?
8. D'où descend-il?
9. Quand grimpe-t-il encore à l'arbre?
10. Qu'est-ce qu'il y a dans le nid?
11. Quand les petits oiseaux sont-ils meilleurs?
12. Où le chat s'étend-il?
13. Qui écoute-t-il?
14. Qu'est-ce que le chat se dit enfin?
15. Les oiseaux sont-ils assez gros?
16. Où sont-ils?

17. Quelle résolution le chat prend-il?

18. Êtes-vous toujours patient?

19. Vos parents sont-ils patients aussi?

20. Trouvez-vous que votre maître de français est toujours patient?

EXERCICE 10

A. *Idiotismes:* Grimper à l'arbre; sans doute; à l'avenir.

B. *Étudiez le présent des verbes* voir, vendre; de + *l'article défini devant les noms.*

C. *Conjuguez:* 1. Je vois ma vache. 2. Je ne vois pas mon petit jardin. 3. Je descends de l'arbre. 4. Est-ce que j'attends un peu? 5. Est-ce que je ne réponds pas à l'aubergiste?

D. *Imitez cet exemple:* l'homme, à l'homme, de l'homme, aux hommes, des hommes.

gâteau	bouche	ami
chemin	vache	ville
herbe	lit	porte
vent	auberge	étable
arbre		chapeau

E. *Employez les substantifs suivants en phrases dans un sens partitif:* lait, poulets, fenêtres, fraises, beurre, viande, enfants paresseux, farine.

F. *Lisez l'histoire en la mettant à la première personne:* Un jour j'aperçois —— je me dis ——.

G. *Traduisez en français:*

1. Who sees the nest?
2. My friends see the cat.
3. Do you see the eggs?
4. Let us see the little birds.
5. I wish to see the tree.
6. Does your mother sell eggs?
7. Louise does not reply.
8. Let us wait a little.
9. The millers hear the wolf.
10. Are you going to come down from your room?
11. Why do you not answer?
12. We do not hear.

H. *Écrivez en français:* 1. A cat climbs a tree and looks into a nest. 2. There are some fine eggs in the nest. 3. The

cat sees the eggs, but it does not eat the eggs.   4. It is going
to wait a little, because it prefers the little birds.   5. Two
weeks later the cat is going to see five eggs in the nest.   6. Come
down from the tree and wait two weeks.   7. Listen to the
little birds under the tree.   8. These five birds are better,
because they have feathers.   9. Without doubt, the birds are
no longer in the nest.   10. Do not be patient in the future.

11. Le pigeon d'Émile

Le petit Émile se promène dans la forêt.   Il voit un
pigeon blanc dans l'herbe, sous un arbre.

« Pauvre pigeon, » dit Émile, « il a l'aile cassée, » et
il met le pigeon dans son panier et retourne à la maison.

Le petit garçon soigne le pigeon, et bientôt son aile 5
est guérie et le pigeon peut voler de nouveau.

Le pigeon aime beaucoup son petit maître, il mange
dans sa main et dort dans sa chambre; et quand Émile
va dans la forêt, le pigeon l'accompagne toujours.

Émile et sa mère sont très pauvres.   L'hiver arrive 10
et la mère tombe malade.   Elle n'a rien à manger.

Le médecin vient.

«Votre mère est bien malade, » dit-il, « il lui faut à
tout prix manger quelque chose, il lui faut de la soupe. »

« Hélas, » pense Émile, « je ne peux pas acheter de 15

viande, nous sommes si pauvres.» Tout à coup il voit
le pigeon.

« Oui, ma mère va avoir de la soupe,» dit-il tristement.
Il prend son joli pigeon blanc et va trouver une vieille
5 femme qui demeure dans la maison voisine.

« Voilà mon pigeon,» lui dit-il, « ma mère est malade,
et il lui faut de la soupe. Prenez le pigeon et tuez-le
pour faire la soupe.»

Puis il retourne vite à la maison, entre dans sa chambre
10 et fond en larmes.

Bientôt la voisine vient apporter la soupe. La mère
mange la soupe: « Oh, comme c'est bon! » dit-elle.

« Je vous apporterai encore de la soupe demain,» dit
la vieille femme.

15 Émile accompagne la voisine jusque dans le petit jardin
devant la maison, d'où sa mère ne peut pas entendre ce
qu'il dit.

« Ah,» dit-il, « qu'est-ce que je vais faire? Nous
n'avons pas d'argent pour acheter de la viande et je
20 n'ai plus de pigeons.»

Mais voilà un pigeon blanc qui vient se percher sur
la main d'Émile.

« C'est mon pigeon, mon cher pigeon,» dit Émile.

« Oui,» dit la vieille femme, « j'ai fait la soupe avec
25 une poule et non pas avec le pigeon. Vous êtes un bon
petit garçon, vous pouvez garder votre pigeon. J'ai
beaucoup de poules et je vais faire la soupe pour votre
mère pendant qu'elle est malade.»

Et la bonne voisine vient tous les jours apporter de
30 la soupe à la pauvre malade qui est bientôt guérie. Émile
est très heureux: il a toujours son pigeon et sa chère mère
n'est plus malade.

On connaît ses amis au besoin.

« A friend in need is a friend indeed.»

QUESTIONNAIRE XI

1. Qui se promène dans la forêt?
2. Que voit-il?
3. Pourquoi Émile l'appelle-t-il pauvre?
4. Qu'est-ce que le pigeon ne peut pas faire?
5. Comment savons-nous qu'Émile a bon cœur?
6. Comment le pigeon montre-t-il qu'il aime Émile?
7. Pourquoi le petit garçon est-il triste?
8. De quoi sa mère a-t-elle besoin?
9. Émile n'achète-t-il pas de viande pour elle?
10. Pourquoi dit-il tristement que sa mère va avoir de la soupe?
11. Qu'est-ce qu'il a l'intention de faire?
12. Est-il content de perdre son pigeon?
13. Comment la mère trouve-t-elle la soupe?
14. Que dit Émile à la vieille femme?
15. Pendant qu'il parle, qu'est-ce qui arrive?
16. Émile est-il étonné de voir son pigeon?
17. Que fait la vieille femme?
18. Pourquoi Émile est-il heureux?
19. Admirez-vous Émile?
20. Trouvez-vous cette histoire intéressante?

EXERCICE 11

A. *Idiotismes:* Fondre en larmes; se promener; comme c'est bon!

B. *Étudiez le présent du verbe* mettre; *de sans article défini devant les noms.*

C. *Conjuguez:* 1. Je mets mon pigeon dans mon panier. 2. Est-ce que je mets ma nappe dans ma poche? 3. Je ne mets pas tous mes œufs dans un panier. 4. Je guéris le pigeon. 5. J'entends ce qu'il dit.

D. *Remplacez les tirets par les mots convenables:* 1. Le boulanger donne —— gâteaux au chien. 2. La vieille dame n'a plus —— chats. 3. Apportez-nous —— bon lait. 4. L'homme a —— bonnets rouges, mais il n'a pas —— bon-

nets bleus. 5. Ce panier est rempli —— pommes —— terre.
6. Beaucoup —— enfants arrivent en retard à l'école. 7. Elle
a —— enfants malades. 8. Pierre n'a plus —— belles poules.
9. Il y a —— beaux moutons dans l'étable. 10. Préférez-vous
une pièce —— argent ou une pièce —— or?

E. *Mettez l'infinitif à la forme convenable:* 1. (entendre)
Les enfants —— ce que dit leur mère. 2. (mettre) Le petit
garçon —— il la main dans sa poche? 3. (remplir) Nous ——
le sac de grain. 4. (guérir) Les médecins ne —— pas ces
pauvres malades. 5. (saisir) Vous —— ma beurrée. 6. (attendre) Nous —— les meuniers.

F. *Écrivez cette histoire au tableau noir.*

G. *Traduisez en français:*

1. The doctor puts his hat on
the table.
2. Don't put your hands in
your pockets.
3. We do not put the sheep in
the stable.
4. The farmers put on their
hats.
5. The boy and his mother are
putting the cloth on the
table.

6. Let us cure the pigeon.
7. Is the bird's wing broken?
8. Is it cured now?
9. The old ladies hear what
we say.
10. Émile reflects while his
mother is sick.
11. The doctor cures the
poor sick woman.
12. Why does Émile burst
into tears?

H. *Écrivez en français:* 1. Let us go walking in the forest.
2. We see a white pigeon in the grass. 3. Let us put the
pigeon in our basket and return home. 4. When we go to
the forest, the pigeon always accompanies us. 5. The doctor
tells us that our mother is quite sick. 6. We take our pretty
white pigeon and go to find a good neighbor. 7. We enter
the room and burst into tears. 8. We can keep our pigeon,
because the old lady has made soup with a hen. 9. Our mother
is going to say: "How good it is!" 10. We are happy, because our dear mother is no longer sick.

12. Le Petit Chaperon Rouge

Le Petit Chaperon Rouge est une petite fille. Elle
demeure avec sa mère dans le village. Sa grand'mère
demeure dans une petite
maison dans la forêt.

La grand'mère aime   5
beaucoup la petite fille.
Elle lui a fait un beau
manteau rouge et aussi
un très joli chaperon
rouge.

La petite fille aime le
chaperon et le porte
toujours, et à cause de
cela on l'appelle le Petit
Chaperon Rouge.   15

Un jour la mère dit à
la petite fille:

« Chaperon Rouge,
voici un beau gâteau.

Voulez-vous aller le porter à votre grand'mère? » 20
« Oh, oui, maman, » dit le Petit Chaperon Rouge, « je
veux bien. »

« Allez donc, » dit la mère, « voici le gâteau dans le
panier. Faites attention de marcher vite et de ne pas
jouer dans la forêt. »   25

« Oui, maman, je vais marcher vite et ne pas jouer
dans la forêt. » Et la petite fille part, le panier au bras.

L'enfant est très fière. Elle se dit: « Je suis une grande
fille maintenant, je peux aller seule chez la grand'mère. »

Elle entre dans la forêt et rencontre un grand loup. 30

« Bonjour, Chaperon Rouge, » dit le loup.

« Bonjour, monsieur le loup. »

« Que portez-vous dans votre panier? »

« Un gâteau pour la grand'mère. »

« Chaperon Rouge, où demeure votre grand'mère? »

« Sa maison est dans la forêt sous le grand pin. »

« Vraiment? Je vais aussi chez la grand'mère, » dit
5 le loup. « Je vais y aller vite et lui dire que vous venez.
Vous pouvez, en chemin, cueillir des fleurs pour votre
grand'mère. Il y a de très belles fleurs dans la forêt. »

« Oui, je vais cueillir des fleurs, » dit le Petit Chaperon
Rouge, « car la grand'mère les aime beaucoup. »

10 Le loup s'en va vite. Bientôt il arrive devant la
maison de la grand'mère. La vieille femme n'est pas à
la maison. Elle est à la ville.

Le loup ouvre la porte et entre dans la maison. Sur
la table se trouve le grand bonnet blanc de la grand'mère.
15 Le loup met le bonnet et se couche dans le lit.

QUESTIONNAIRE XII

1. Quel est le titre de cette histoire?
2. Traduisez le titre en anglais.
3. Où demeure la mère du Petit Chaperon Rouge?
4. Où demeure sa grand'mère?
5. Que fait la grand'mère pour le Petit Chaperon Rouge?
6. Pourquoi l'appelle-t-on le Petit Chaperon Rouge?
7. Qu'est-ce que sa mère lui demande?
8. Est-elle contente d'aller chez sa grand'mère?
9. Quelles sont les instructions de la mère?
10. Pourquoi l'enfant est-elle fière?
11. Qui rencontre-t-elle en chemin?
12. Que se disent-ils?
13. Où va le loup?
14. Que va-t-il dire à la grand'mère?
15. Qu'est-ce que le Petit Chaperon Rouge va faire?
16. Le loup trouve-t-il la grand'mère chez elle?
17. Que fait-il?
18. Aimez-vous les belles fleurs?
19. En cherchez-vous souvent dans le bois?
20. Y rencontrez-vous jamais un loup?

EXERCICE 12

A. *Idiotismes:* A cause de; se trouver; faire attention de +
infinitif..

B. *Étudiez le présent du verbe* pouvoir; *les pronoms con-
jonctifs.*

C. *Conjuguez:* 1. Je peux aller seul.   2. Puis-je y aller?
3. Je choisis de belles fleurs pour ma grand'mère.   4. Je ne
demeure pas dans la forêt.   5. Est-ce que je n'entends pas
ce que dit ma mère?

D. *Construisez des phrases, en employant les pronoms suivants:*

leur	lui
la	vous
me	nous
ils	les

E. *Mettez les verbes suivants à l'infinitif:* s'appelle, voit,
s'en va, saisit, peut, répond, ayez, voulez, ouvre, dites,
entend, étonné, jette, punissez, vend, rougit, rient, grimpe,
dort, cassée.

F. *Racontez la première partie de cette histoire.*

G. *Traduisez en français:*

1. We are able to do it.
2. Who can go alone?
3. She can walk fast.
4. Can you go alone?
5. Don't answer so fast.
6. Bruno seizes the last cake.
7. Don't break the bird's wing.
8. Fill the basket at once.
9. Do the monkeys hear?
10. The old ladies burst into tears.

H. *Écrivez en français:* 1. The little girl always wears her
red hood and on account of that she is called Little Red Riding-
hood.   2. Take this fine cake and carry it to your grandmother's.   3. The little girl takes care to walk fast.   4. She
cannot play in the forest.   5. She is proud, because she can
go alone to her grandmother's.   6. She meets a large wolf
and speaks to him.   7. She tells the wolf that she is carrying
a cake for her grandmother.   8. You can go to the grandmother's and tell her that Little Red Riding-hood is coming.

9. The grandmother's house is (*finds itself*) in the forest.
10. The wolf is going to enter the house and put on the grandmother's large white cap.

13. Le Petit Chaperon Rouge (suite)

Bientôt le Petit Chaperon Rouge frappe à la porte.
« Entrez, » dit le loup.

Le Petit Chaperon Rouge ouvre la porte et entre dans la chambre.

5 « Ah, grand'mère, êtes-vous malade? » dit le Petit Chaperon Rouge.

« Oui, je suis bien malade. Mais qu'avez-vous dans votre panier? »

« Un beau gâteau pour vous, grand'mère. »

10 « Mettez le panier sur la table, » dit le loup, « et mettez votre manteau sur la chaise, il fait chaud dans la chambre. »

Le Petit Chaperon Rouge met le manteau sur la chaise, mais elle n'ôte pas le chaperon. Puis elle s'approche du
15 lit.   « Oh, grand'mère, » dit-elle, « que vous avez de grandes oreilles ! »

« C'est pour mieux vous entendre, » dit le loup.

« Oh, grand'mère, que vous avez de grands yeux ! »

« C'est pour mieux vous voir. »

20 « Oh, grand'mère, que vous avez une grande bouche ! »

« C'est pour mieux vous embrasser. »

« Mais, grand'mère, que vous avez de grandes dents ! »

« C'est pour mieux vous manger, » dit le loup.

A ces mots le loup ouvre la gueule pour dévorer l'enfant.
25 Mais aussitôt qu'il mord dans le chaperon, le chaperon lui brûle la gueule comme du feu.

Il saute du lit et veut sortir de la maison, mais il ne peut pas trouver la porte.

A ce moment la grand'mère arrive de la ville. Elle a

un grand sac sous le bras. Elle regarde par la fenêtre
et voit le loup dans la chambre.

« Ah, » dit-elle, « vous voilà, méchante bête ! »

Elle ouvre la porte et le sac aussi. Le loup veut sortir
par la porte ouverte et saute dans le sac.   5

La grand'mère ferme le sac et va le jeter dans la rivière.

« Ah, méchant loup, vous ne mangerez jamais mon
Petit Chaperon Rouge, » dit-elle.

Puis elle entre dans la maison et trouve la petite fille
toute en pleurs.   10

« Ma pauvre enfant, » dit la grand'mère, « ne pleurez
plus, le méchant loup est mort ! »

La grand'mère donne une tasse de lait et un morceau
de gâteau au Petit Chaperon Rouge, puis elle accompagne
l'enfant chez elle.   15

Le Petit Chaperon Rouge visite souvent sa grand'mère,
mais elle marche toujours vite et ne joue plus dans la
forêt.

QUESTIONNAIRE XIII

1. Qui frappe à la porte ?
2. Que fait le Petit Chaperon Rouge ?
3. La grand'mère est-elle vraiment malade ?
4. Pourquoi la petite fille met-elle son manteau sur la chaise ?
5. Ôte-t-elle son chaperon ?
6. La grand'mère a-t-elle de grandes oreilles ?
7. Pourquoi le loup a-t-il de grands yeux ?
8. A-t-il aussi une grande bouche ?
9. Que veut-il faire avec ses grandes dents ?
10. Pourquoi ne sort-il pas de la maison ?
11. Qui arrive ?
12. Qui voit-elle ?
13. Qu'a-t-elle sous le bras ?
14. L'ouvre-t-elle ?
15. Où va-t-elle jeter le sac ?
16. Pourquoi la petite fille pleure-t-elle ?

17. Qu'est-ce que la grand'mère lui donne?
18. Quelle leçon le Petit Chaperon Rouge a-t-elle reçue?
19. Avez-vous une grand'mère?
20. Lui dites-vous, « Que vous avez une grande bouche! »?

EXERCICE 13

A. *Idiotismes:* S'approcher de; à ce moment; regarder (sortir) par; ne . . . jamais.

B. *Étudiez le présent du verbe* faire.

C. *Conjuguez:* 1. Je ne lui fais pas la soupe. 2. Est-ce que je la lui fais? 3. Je ne frappe pas à la fenêtre, mais je frappe à la porte. 4. Je ne punis pas la méchante bête. 5. Je l'entends, mais je ne l'attends pas.

D. *Remplacez chaque nom en italiques par le pronom personnel convenable:* 1. Louise dit *au chien:* «Voici *le panier.* » 2. Il lit *ces mots.* 3. Bruno mange *le dernier gâteau.* 4. Le petit garçon dit *à sa mère:* « Je vais vendre *mes poules.* » 5. Mettez *la nappe* sur une table. 6. Dites cela *au mouton.* 7. Il va *à sa chambre.* 8. Il enlève *son chapeau.* 9. L'homme aperçoit *ses bonnets.* 10. En ville elle vend *le lait.* 11. Voilà *la pierre.* 12. J'ai besoin *de farine.* 13. Le loup mange *vos poules.* 14. Il a toujours *son pigeon.* 15. Elle ouvre *la porte.*

E. *Racontez la fin de l'histoire.*

F. *Traduisez en français:*

1. Does he make the soup?
2. We do make the flour.
3. I am not making the cake.
4. Don't make any soup.
5. The millers are making flour.
6. He hears me.
7. Don't punish him, punish her.
8. Wait a moment; I wish to see you.
9. Look through the window.
10. We hear you.
11. The wolf bites him.

G. *Écrivez en français:* 1. Soon the little girl is going to knock at the door. 2. She is going to look through the window. 3. The wolf tells her to (de) put the basket on the table. 4. Don't take off the hood, because it is cold in the house. 5. Little Red Riding-hood notices the grandmother's large

ears. 6. Do not approach the wolf. 7. The wicke
wishes to leave through the open door. 8. At this
the grandmother is throwing the wolf into the river.
poor child no longer weeps, because the wicked beast is dead.
10. Now the little girl never plays in the forest.

14. Les sept chevreaux

Une vieille chèvre a sept chevreaux. C'est une bonne
mère qui aime beaucoup ses petits.

Un jour la chèvre veut aller dans la forêt. Elle appelle
les chevreaux et leur dit: « Mes enfants, je vais aller
dans la forêt; ne laissez pas entrer le loup dans la maison. 5
Il a la voix rude et les pattes noires. »

« Non, chère mère, » lui disent les chevreaux, « le loup
n'entrera pas dans la maison, nous ferons attention à sa
voix et à ses pattes. »

Alors la vieille chèvre s'en va dans la forêt. 10

Bientôt on frappe à la porte.

« Ouvrez la porte, ouvrez, » crie une voix.

« C'est le loup, » disent les chevreaux et ils crient:
« Non, nous n'ouvrirons pas la porte, vous n'êtes pas
notre mère, notre mère a la voix douce et votre voix est 15
rude, vous êtes le loup. »

Le loup va alors chercher un gros morceau de craie.
Il mange la craie et cela lui adoucit la voix.

Il revient alors frapper à la porte et dit d'une voix
adoucie: « Ouvrez, mes enfants, c'est moi, votre mère. » 20

Mais le loup a mis sa patte noire sur la fenêtre; les
chevreaux la voient et disent: « Non, vous n'êtes pas
notre mère; notre mère n'a pas les pattes noires, vous êtes
le loup. »

Alors le loup court au moulin et met ses pattes dans 25
la farine blanche. Puis il revient, frappe et dit: « Ouvrez,
mes enfants, c'est moi, votre mère. »

Les chevreaux crient: « Montrez vos pattes, notre mère a les pattes blanches. » Le loup met une patte sur la fenêtre. Les enfants voient la patte blanche et se disent: « Oui, oui, c'est notre mère, ce n'est pas le loup, » et 5 ils ouvrent la porte; mais ce n'est pas la mère qui entre, c'est le méchant loup.

QUESTIONNAIRE XIV

1. Combien de chevreaux la vieille chèvre a-t-elle?
2. Les aime-t-elle?
3. Où veut-elle aller?
4. Qui appelle-t-elle?
5. Qu'est-ce qu'elle leur dit?
6. Qu'est-ce que les chevreaux lui promettent (*promise*)?
7. Qui frappe à la porte?
8. Les chevreaux ouvriront-ils la porte?
9. Comment savent-ils que c'est le loup qui frappe à la porte?
10. Comment le loup adoucit-il sa voix?
11. Où le loup met-il sa patte?
12. Les chevreaux la voient-ils?
13. Quelle espèce (*kind*) de pattes la chèvre a-t-elle?
14. Comment le loup blanchit-il ses pattes?
15. Qu'est-ce que les chevreaux lui disent de faire?
16. Leur montre-t-il une patte?
17. La prennent-ils pour la patte de leur mère?
18. Qui entre alors?
19. Aimez-vous mieux les moutons que les chèvres?

EXERCICE 14

A. *Étudiez le futur des verbes* donner, finir, vendre; *l'ordre des pronoms: 1) devant le verbe; 2) après le verbe.*

B. *Apprenez le futur des verbes:*

dire	rire
prendre	ouvrir
dormir	mettre

C. *Conjuguez:* 1. Je ne réfléchirai pas. 2. Est-ce que je perdrai mon argent? 3. Je lui dirai d'aller. 4. Est-ce que je ne rirai pas? 5. Est-ce que je prendrai une tasse de lait?

D. *Remplacez chaque nom en italiques par le pronom personnel convenable:* 1. Bruno rapporte *six gâteaux à Louise.* 2. Il voit *le papier dans le panier.* 3. Donnez-moi *vos fraises.* 4. Je lui achète *du pain.* 5. Ayez la bonté de me donner *de la farine.* 6. Dites-le *au vieillard.* 7. Il donne *son panier à sa mère.* 8. Apportez-moi *la table.* 9. Il entend *le petit garçon* parler *au mouton.* 10. Les singes lui ont volé *les bonnets.*

E. *Racontez la première partie de cette histoire.*

F. *Traduisez en français:*

1. We shall choose a goat.
2. Shall you sell the sheep?
3. They will not put on the caps.
4. Shall you sleep?
5. Who will hear it?
6. The children will not laugh.
7. The cat will come down from the tree.
8. She will await us.
9. The dog will be called Bruno.
10. Will they not seize him?
11. We will finish it.

G. *Écrivez en français:* 1. The old goat will love her little ones very much. 2. She will tell the kids not to let the wolf enter. 3. They will tell her that the wolf will not enter. 4. They will give heed to his coarse voice. 5. The wolf will not open the door. 6. He will eat some chalk and that will soften his voice. 7. He will place his black feet on the window. 8. He will whiten them in the white flour of the mill. 9. He will show them to the kids. 10. They will open the door and will let the wolf enter the house.

15. Les sept chevreaux (suite)

Les pauvres chevreaux sont bien effrayés et se sauvent. Un chevreau se cache sous la table, un autre dans le lit, le troisième dans le poêle, le quatrième dans la cuisine, le cinquième dans un grand seau, le sixième sous une chaise et le septième derrière la grande horloge. 5

Le loup les trouve et les mange tous, excepté le septième chevreau qui est derrière l'horloge. Puis il sort dans la cour, se couche sous un grand arbre et s'endort.

Bientôt la vieille chèvre revient de la forêt. Elle
5 trouve la porte de la maison ouverte, entre et ne voit pas les chevreaux.

« Mes enfants, mes enfants, où êtes-vous? » crie la mère, mais les chevreaux ne répondent pas. Enfin la mère entend une faible voix: « Mère, je suis derrière
10 l'horloge, » et le septième chevreau paraît.

« Où sont vos frères? » dit la mère.

« Le loup les a mangés, » dit le chevreau.

« Le loup les a mangés? Comment le loup a-t-il pu entrer dans la maison? » dit la mère.

15 « Il est venu et a frappé à la porte. Il a la voix douce et les pattes blanches; nous l'avons pris pour vous, nous avons ouvert la porte; il est entré et les a tous mangés, mais il ne m'a pas trouvé derrière l'horloge. »

La mère chèvre ne perd pas son temps à pleurer. Elle
20 sort de la maison et aperçoit le loup qui dort sous l'arbre.

« Les enfants ne sont peut-être pas morts, » dit la mère, et elle rentre dans la maison, prend un grand couteau et ouvre le ventre du loup. Et voilà que les six chevreaux sortent tout vivants du ventre du loup.

25 Ils voient le loup mort, et dansent autour de son corps en criant: « Le loup est mort, le loup est mort! »

QUESTIONNAIRE XV

1. Les pauvres chevreaux sont-ils bien contents de voir entrer le loup?

2. Dites à la classe où se cachent les chevreaux.

3. Quel chevreau est sauvé?

4. Pourquoi?

5. Qu'est-ce qui arrive aux autres?

6. Que trouve la mère en revenant de la forêt?

7. Pourquoi ses enfants ne lui répondent-ils pas?
8. Le septième chevreau a-t-il peur?
9. Comment savez-vous cela?
10. Dites-nous comment le loup est entré dans la maison.
11. Combien de temps la chèvre pleure-t-elle?
12. Sauve-t-elle ses enfants?
13. Les trouve-t-elle morts?
14. Sont-ils contents de voir le loup mort?
15. Cette histoire est-elle vraie ou inventée?
16. Quelles sont les parties inventées? (Les chèvres n'ont pas de tables, etc.)

EXERCICE 15

A. *Idiotismes:* Faire attention à + *nom;* autour de; se sauver.

B. *Étudiez ces futurs irréguliers:*

serai	voudrai
aurai	verrai
irai ferai	pourrai

C. *Conjuguez:* 1. Je serai content. 2. J'aurai beaucoup d'argent. 3. Est-ce que je n'irai pas chez la grand'mère? 4. Je voudrai vendre mon mouton. 5. Je ne les verrai pas demain.

D. *Lisez les phrases suivantes, en les mettant au futur:*
1. Bruno va rapporter les gâteaux. 2. Ils vont prendre les paniers. 3. Je vais dormir un peu. 4. Nous allons ôter nos bonnets. 5. L'homme va les ramasser. 6. Vous allez m'apporter la soupe. 7. Je vais acheter vingt œufs. 8. La vieille poule va couver les œufs. 9. Les poussins vont grandir. 10. Allez-vous répondre à ma question?

E. *Remplacez les pronoms en italiques par les noms convenables:*
1. Elle *les* aime beaucoup. 2. Elle *leur* dit de ne pas laisser entrer le loup. 3. Nous ne *l'*ouvrirons pas. 4. Je *la lui* apporterai demain. 5. Apportez-*les-lui*. 6. Ne *les leur* apportez pas. 7. Ne *les* regardez pas; regardez-*la*. 8. Le loup *les* trouve. 9. Donnez-*leur-en*. 10. Est-ce que je *les y* verrai?

F. *Le septième chevreau raconte ses aventures.*

G. *Traduisez en français:*

1. We shall have some strawberries.
2. They will be able to come.
3. Who will wish to meet the wolf?
4. You will not make the flour.
5. The cat will not be patient.
6. We shall not be able to present them to you.
7. The birds will make their nests.
8. The little boys will see them.
9. They will wish to climb the tree.
10. They will not be able to do it.
11. We will go home.

H. *Écrivez en français:* 1. The poor kids will be frightened. 2. One kid will hide in the kitchen. 3. He will not pay attention to the wolf's voice. 4. The wolf will find them; will he eat all of them? 5. No, the seventh kid will escape. 6. What will the poor mother ask the seventh kid? 7. He will tell her how the wolf has been able to enter. 8. But the wolf will not be able to find him behind the clock. 9. The mother goat will not lose her time in sleeping under a tree. 10. The kids will dance around the body of the dead wolf.

16. L'orgueilleux annulaire

Le doigt annulaire a une bague de perles et de diamants. Il est bien fier. Il dit: « J'ai une belle bague, je suis plus riche que les autres doigts, à l'avenir je ne veux plus travailler avec eux. »

5 Le pouce, l'index, le doigt du milieu et le petit doigt sont mécontents. « Vous êtes trop fier, doigt annulaire, je ne travaillerai plus avec vous, » dit le petit doigt.

Le doigt annulaire voit une belle fleur. « Ah, » dit-il, « je veux cueillir cette fleur. » « Non, » dit le doigt du 10 milieu, « vous ne pouvez pas cueillir la fleur tout seul et je ne vous aiderai pas, vous êtes trop fier. »

Ensuite le doigt annulaire voit une belle pomme rouge sur un pommier.

« Ah, » dit-il, « je vais cueillir cette pomme. »

« Non, » dit l'index, « vous ne pouvez pas cueillir la pomme tout seul, et je ne vous aiderai pas, vous êtes trop fier. »

« Je veux écrire, » dit le doigt annulaire. 5

« Non, » dit le pouce, « vous ne pouvez pas écrire seul, et je n'écrirai pas avec vous, vous êtes trop fier. »

Alors le doigt annulaire est bien triste.

« Non, je ne suis pas supérieur aux autres doigts, je suis au contraire le plus faible. Je ne peux pas travailler 10 seul; aidez-moi, s'il vous plaît, mes frères, je ne suis plus fier. »

« C'est entendu, nous vous aiderons, » lui disent les autres doigts, et ils aident le doigt annulaire à cueillir la fleur et la pomme, et à écrire la lettre. 15

L'union fait la force.
« In union there is strength. »

QUESTIONNAIRE XVI

1. Quelle espèce de bague l'annulaire a-t-il ?
2. Pourquoi est-il fier ?
3. Est-il supérieur aux autres doigts ?
4. Sont-ils contents ?
5. Que dit le petit doigt ?
6. Pourquoi le doigt du milieu n'aidera-t-il pas le doigt annulaire ?
7. Qu'est-ce que l'annulaire voit sur un pommier ?
8. Veut-il la cueillir ?
9. L'index veut-il l'aider ?
10. Le doigt annulaire peut-il écrire tout seul ?
11. Reste-t-il fier jusqu'à la fin de l'histoire ?
12. Comment savez-vous qu'il n'est plus fier ?
13. Ses frères l'aideront-ils maintenant ?
14. Qu'est-ce qu'ils l'aident à faire ?
15. Combien de doigts avez-vous à chaque main ?
16. Pouvez-vous nommer les doigts ?

17. Votre annulaire porte-t-il une bague?

18. Est-ce une bague de diamants?

EXERCICE 16

A. *Idiotismes:* Supérieur à; aider à.

B. *Étudiez le présent et le futur du verbe* écrire; *l'adjectif démonstratif* ce; *la comparaison des adjectifs.*

C. *Conjuguez:* 1. J'écris ma lettre.   2. Je lui écrirai une lettre demain.   3. Je n'écris pas de lettre.   4. Je ne serai pas supérieur aux autres.   5. Est-ce que je ne choisirai pas cette lettre?

D. *Imitez:* cette bague, ces bagues.

arbre	idée	fleur
fenêtre	oiseau	gâteau
ami	aile	cheveu
jour	enfant	oreille
herbe	manteau	annulaire

E. *Employez en phrases les adjectifs suivants:* plus riche, moins fiers, aussi petite, si pauvre, la jeune fille la plus intelligente, meilleurs.

F. *Cherchez un synonyme pour chacune des expressions suivantes:* à la maison, forêt, s'en va, aperçoit, plein, vieillard, veux, immédiatement, de nouveau, réfléchir, joyeux, se mettre à, certainement, fondre en larmes, heureux, s'approcher de, dévorer, accompagner, il court, orgueilleux.

G. *Lisez l'histoire au futur:* « Le doigt annulaire aura ——. »

H. *Traduisez en français:*

1. Let us write a letter.
2. He will write the letter.
3. Don't write this word.
4. I am writing to my mother.
5. The fingers will write.
6. Shall we not write?
7. Shall you aid your mother?
8. He is not helping us.
9. I shall be able to see him.
10. We shall work with you.

I. *Écrivez en français:* 1. The ring finger is prouder than the other fingers.   2. He says: "In the future I shall not work with my brothers."   3. The middle finger is larger than the ring finger.   4. The ring finger is not superior to the others.

5. They think that they are not better than he.   6. They do
not wish to help him pick this flower.   7. He does not write,
because he cannot write alone.   8. He thinks now that he is
the weakest of all the fingers.   9. The other fingers will help
him, if he is no longer proud.   10. Now they will pick the
flower and will write the letter.

17. Le nid de l'alouette

La petite Hélène a quatre ans.   Elle demeure dans une
petite maison blanche.   Celle-ci est entourée d'un grand
jardin tout rempli de
belles fleurs.   Derrière
le jardin il y a un grand
champ.

Un matin du mois de
juillet Hélène se promène
dans le jardin.   Son père
est dans le champ. Il
est en train de couper
le blé.   Hélène peut
voir la grande machine
et les deux chevaux.

« Je vais aller dans le
champ pour aider mon père, » dit Hélène, « il a l'air
bien fatigué. »   Et la petite fille sort du jardin et va
dans le champ.

Elle arrive au milieu du blé.   Tout à coup une alouette
s'envole à ses pieds et monte vers le ciel en chantant. 20

« Ah, c'est un oiseau, c'est une alouette, » dit Hélène,
« je vais chercher son nid dans le blé, » et l'enfant cherche
longtemps.   Enfin elle trouve un nid avec six petites
alouettes.

« Oh ! comme c'est joli ! Comme les oiseaux sont petits 25
et comme leurs becs sont grands; ils ont certainement

faim, ils disent toujours, ‹ Piou, piou ! › » Et Hélène
s'assied dans le blé et regarde la mère qui apporte des
vers à ses petits.

Il fait très chaud et la petite fille est bien fatiguée.
5 Bientôt elle s'endort. Cependant le père continue de
couper le blé et avec la machine et les deux chevaux il se
rapproche toujours de l'endroit où l'enfant est endormie.

Mais voilà une alouette qui s'envole du blé en avant de
la machine. Elle s'élève dans le ciel en chantant, puis
10 revient de nouveau se poser dans le blé en avant de la
machine.

« La pauvre alouette ! elle a certainement son nid dans
le blé. Je ne veux pas tuer les petits, je vais chercher le
nid, » dit le père. Il cherche dans le blé, mais que trouve-
15 t-il près du nid ? Sa petite Hélène.

« Ah, mon enfant, mon enfant, » dit le père. La
petite fille se réveille.

« Ah, père, » dit-elle, « je suis venue pour vous aider
et alors j'ai trouvé le nid. Les petits oiseaux ne sont-
20 ils pas jolis ? Et la mère apporte des vers et les petits
oiseaux les mangent. Mais, pourquoi pleurez-vous, père ?
Je vais vous aider. »

« Non, mon enfant, nous allons retrouver votre mère,
car je ne veux pas couper le blé à cause de ce nid.
25 La bonne petite mère et ses enfants peuvent rester ici,
ils ont droit à la gratitude de ceux qu'ils ont aidés. »
Et l'heureux père retourne avec son enfant à la maison.

QUESTIONNAIRE XVII

1. Comment s'appelle cette petite fille ?
2. Où demeure-t-elle ?
3. Qu'y a-t-il autour de la maison ?
4. Qu'est-ce qu'il y a derrière ce jardin ?
5. Où est le père d'Hélène ?
6. Que fait-il ?
7. Qu'est-ce qu'Hélène veut faire ?

8. Où arrive-t-elle?
9. Que trouve-t-elle dans le blé?
10. Y a-t-il des œufs dans ce nid?
11. Pourquoi Hélène s'endort-elle?
12. Que fait le père pendant ce temps-là?
13. Que remarque-t-il?
14. A-t-il pitié de la pauvre alouette?
15. Que cherche-t-il dans le blé?
16. Trouve-t-il ce qu'il cherche?
17. La petite Hélène est-elle étonnée de voir son père?
18. Peut-elle aider son père?
19. Le père continue-t-il de couper le blé?
20. Que pensez-vous de ce fermier?

EXERCICE 17

A. *Idiotismes:* Avoir quatre ans; être en train de + *infinitif;* entouré de; en avant de; au milieu de.

B. *Construisez des phrases, en employant les idiotismes précédents.*

C. *Étudiez les pronoms démonstratifs:* celui, celle, ceux, celles.

D. *Imitez:* cette lettre-ci, celle-là; ces lettres-là, celles-ci.

jour	pierre	enfant
maître	loup	bête
laitière	arbre	vache
	cheval	

E. *Cherchez le contraire des expressions suivantes:* petite, vient, vieux, intelligent, gros, il sort, riche, perd, vendre, bon, ouvre, s'endormir, joyeux, s'assied, assis, ôte, jette, content, blanc, avoir raison, tard, sous, ouverte, grimper, garçon, devant, une voix rude, morts.

F. *Le père raconte l'histoire.*

G. *Traduisez:* 1. This little girl is six years old. 2. Her little white house is surrounded by a garden. 3. Little Helen is not busy helping her father in the field. 4. She will leave the garden and go into the field. 5. The little girl will look for the lark's nest in the midst of the wheat. 6. The six

little birds in the nest are little larks.   7. Helen will look at
their large beaks.   8. The father will see a lark that will fly
from the wheat in front of the machine.   9. He will not wish
to kill the little ones of the poor lark.   10. He will save the good
little mother, because she has helped him.

18. Le gâteau

Un homme, sa femme et leur jeune fils demeurent dans
une vieille maison près d'une grande forêt.

« Mère, » dit un jour le petit garçon, « ne voulez-vous
pas me faire cuire un gâteau ? »

5 « Je veux bien, » dit la mère, et elle fait un gâteau et
le met à cuire dans le fourneau.

« Je vais aller dans le jardin, » dit la mère, « restez
près du fourneau pour surveiller le gâteau, » et elle s'en va.

Mais le petit garçon ne reste pas longtemps près du
10 fourneau, il va jouer avec le chat sous la table.

Pendant qu'il joue, la porte du fourneau s'ouvre et
le gâteau saute sur le plancher. Il roule, roule, et passe
par la porte ouverte, toujours en roulant.

« Ah, mon gâteau, mon gâteau ! » crie le petit garçon
15 et il court après le gâteau. Le père et la mère courent
aussi après le gâteau, mais il roule très vite et bientôt
le père, la mère et l'enfant le perdent de vue.

En chemin le gâteau rencontre un cochon.

« Pourquoi courez-vous si vite ? » dit le cochon.

20 « Je peux courir plus vite que l'homme et la femme et
le petit garçon, et je puis aussi courir plus vite que vous, »
dit le gâteau.

Le cochon dit: « Non, cela vous est impossible, » et
il essaye de suivre le gâteau; mais le cochon ne peut pas
25 courir très vite. Il est bientôt fatigué et il s'arrête,
pendant que le gâteau continue à rouler.

Le gâteau rencontre ensuite une vache.

« Pourquoi courez-vous si vite, gâteau? » dit la vache.

« Je peux courir plus vite que l'homme, la femme, le petit garçon et le cochon; et je puis aussi courir plus vite que vous, » dit le gâteau.

La vache essaye de suivre le gâteau, mais elle ne peut 5 pas courir très vite et elle s'arrête, pendant que le gâteau continue à rouler à toute vitesse.

Bientôt le gâteau rencontre un ours.

« Pourquoi courez-vous si vite? » dit l'ours.

« Je peux courir plus vite que l'homme, la femme, le 10 petit garçon, le cochon et la vache; et je puis aussi courir plus vite que vous, » dit le gâteau.

« Non, ce n'est pas possible, » dit l'ours et il se met à la poursuite du gâteau, mais le gâteau continue à rouler à toute vitesse. 15

Le gâteau rencontre enfin un renard. Le renard est assis sous un arbre.

« Pourquoi courez-vous si vite, gâteau? » dit le renard.

« Je peux courir plus vite que l'homme, la femme, le petit garçon, le cochon, la vache et l'ours; et je puis 20 aussi courir plus vite que vous, » dit le gâteau.

« Que dites-vous? Je suis sourd, je ne peux pas vous entendre, » dit le renard. Le gâteau s'approche du renard et lui crie très haut:

« Je peux courir plus vite que l'homme, la femme, le 25 petit garçon, le cochon, la vache et l'ours; et je puis aussi courir plus vite que vous. »

« Mais moi, je peux vous manger, » dit le renard; et il ouvre la gueule et dévore le malheureux gâteau.

QUESTIONNAIRE XVIII

1. Quels sont les membres de cette famille?
2. Que dit le petit garçon à sa mère?
3. Que fait la mère?
4. Où la mère s'en va-t-elle?

5. Comment le petit garçon passe-t-il son temps?
6. La porte du fourneau s'ouvre-t-elle?
7. Comment le gâteau se sauve-t-il?
8. Qui court après le gâteau?
9. Qui le gâteau rencontre-t-il en chemin?
10. Lequel peut courir le plus vite, le gâteau ou le cochon?
11. Qui s'arrête bientôt?
12. Qu'est-ce que le gâteau dit à la vache?
13. S'arrête-t-il alors?
14. L'ours court-il plus vite que le gâteau?
15. Qui le gâteau rencontre-t-il enfin?
16. Est-ce que le renard est vraiment sourd?
17. Pourquoi le gâteau s'approche-t-il du renard?
18. Continue-t-il à rouler alors?
19. Comment savez-vous que cette histoire est inventée?
20. Pouvez-vous courir aussi vite qu'un gâteau?

EXERCICE 18

A. *Idiotismes:* Perdre quelqu'un de vue; à toute vitesse essayer de + *infinitif;* se mettre à la poursuite.

B. *Étudiez le présent et le futur des verbes* courir, se porter; *les pronoms disjonctifs.*

C. *Conjuguez:* 1. Je cours après le gâteau. 2. Je ne courrai pas après le cochon. 3. Je me porte très bien aujourd'hui. 4. Je me porterai mieux demain. 5. Est-ce que je ne me porterai pas plus mal demain?

D. *Remplacez les noms en italiques par les pronoms convenables:* 1. Voici un gâteau pour *Bruno.* 2. Ce sont *les chats.* 3. *Le petit garçon* et sa mère vont vendre le panier. 4. Qui frappe le loup? *Jacques et Pierre.* 5. Ce sont *les poules.* 6. Qui rougit? *Lisette.* 7. *Émile* et sa mère sont très pauvres. 8. Nous sommes chez *notre grand'mère.* 9. Qui voyez-vous? *Les meuniers* et *le loup.* 10. Je cours plus vite que *le cochon* et *la vache.*

E. *Racontez l'histoire; ou lisez-la au futur.*

F. *Traduisez en français:*

1. They go away.
2. Let us go walking.
3. She will conceal herself.
4. The wolves run fast.
5. They do not make themselves white.
6. Let us not run.
7. The doors will open.
8. We are going to stop.
9. Hide under the table.
10. Shall you rise early?
11. He is not well.

G. *Écrivez en français:* A little boy asks his mother to make him a cake. 2. The mother begins to make the cake. 3. She will put it in the stove, then she will go away. 4. The cake will escape through the open door. 5. The whole family will run after the cake. 6. The cake will be able to run faster than the pig. 7. The cow will begin the pursuit. 8. The fox will not run at full speed. 9. The cake will stop in front of the fox. 10. The unhappy cake will try to escape.

19. Le dindon de Noël

« C'est demain Noël, » dit Madame Roland.

« Oh comme je suis content ! » dit Paul; « le grand-père, la grand'mère, l'oncle et la tante vont venir et nous aurons un bon dîner. »

« Papa a-t-il acheté le dindon? » dit Ernest.   5

« Oui, et un très gros dindon, » dit Alice.

« Maman a acheté des pommes et des poires et aussi des noix et des raisins, » dit Paul.

« Je ne peux pas attendre, » dit Ernest, « je veux des noix et des raisins maintenant. »   10

« Non, » dit la mère, « il vous faut attendre jusqu'à demain. »

Le lendemain matin Madame Roland allume un grand feu et fait cuire le dindon et des pommes de terre.

Il est midi. Le grand'père, l'oncle et la tante arrivent, 15 et à une heure toute la famille est à table dans la salle à manger.

Madame Roland entre dans la cuisine. « Il fait chaud ici, » dit-elle et elle ouvre la porte.

Puis elle ouvre la porte du fourneau pour voir si le dindon est cuit: le dindon est déjà tout doré.

5   Madame Roland regarde les pommes de terre, elles sont cuites; elle les verse dans un plat et les apporte sur la table dans la salle à manger. Elle revient alors dans la cuisine pour retirer le dindon du fourneau, mais hélas, le fourneau est vide.

10   « Où est le dindon? » dit-elle. Elle cherche longtemps dans la cuisine, puis dans le jardin, mais elle ne peut pas Je trouver.

Elle retourne enfin dans la salle à manger et dit: « Le dindon a disparu, je ne peux pas le trouver ! »

15   « Le dindon a disparu ! » s'écrie toute la famille. Ils courent tous dans la cuisine et cherchent dans le fourneau, sous la table, sous le banc, et derrière la porte, mais ils ne peuvent pas trouver le dindon non plus.

Finalement ils reviennent se mettre à table et mangent
20 les pommes de terre, les pommes et les poires.

Mais Ernest est très mécontent et dit: « Ce n'est pas Noël, si nous n'avons pas de dindon. »

Madame Roland ne cesse pas de répéter: « Mais où peut bien être le dindon? Je l'ai vu dans le fourneau et
25 un dindon mort ne peut pas s'envoler. »

QUESTIONNAIRE XIX

1. Quel jour de fête est-ce?
2. Pourquoi Paul est-il content?
3. Qu'est-ce que le père a acheté?
4. Et la mère?
5. Que fait Madame Roland le lendemain matin?
6. Qui arrive à midi?
7. Pourquoi Madame Roland ouvre-t-elle la porte du fourneau?

8. Qu'est-ce qu'elle apporte sur la table?
9. Qu'est-ce qu'il y a dans le fourneau?
10. Quelle triste nouvelle annonce-t-elle à la famille?
11. Où cherche-t-on le dindon?
12. Les enfants n'ont-ils pas beaucoup de bonnes choses à manger?
13. Pourquoi sont-ils mécontents alors?
14. Ernest a-t-il raison, quand il dit, « Ce n'est pas Noël »?
15. Que répète Madame Roland sans cesse?
16. Où l'a-t-elle vu?
17. Les dindons morts s'envolent-ils?
18. Êtes-vous content, quand le 25 décembre arrive?

EXERCICE 19

A. *Étudiez le passé indéfini de* donner, finir, vendre, être, avoir, dire, prendre, dormir, rire, ouvrir; *les heures.*

B. *Conjuguez:* 1. J'ai été content.   2. J'ai vendu mes poules.   3. Ai-je fini ma leçon?   4. Je n'ai pas ouvert les fenêtres.   5. Je n'ai jamais dormi dans la salle de classe.

C. *Mettez les infinitifs suivants au passé indéfini:*

1. (rapporter) Bruno ———.   2. (saisir) Le chien ———.
3. (dire) La mère ———.   4. (ouvrir) Les aubergistes ———.
5. (répondre) Nous ———.   6. (avoir) Elle ———.   7. (battre) Le bâton ———.   8. (commencer) Les singes ———.   9. (réfléchir) Perrette ———.   10. (être) Anne ——— contente.

D. *Lisez en français:* 3 h., ——— 4 h. 15, ——— 8 h. 58, ——— midi 10, ——— 3 h. 45, ——— 11 h. 40, ——— 9 h. 5, ——— 10 h. 30, ——— 8 h., ——— 7 h. 35.

E. *Madame Roland raconte son infortune.*

F. *Traduisez:* 1. Alice told her brother that their father bought a large turkey.   2. The mother did not give apples and pears to the children.   3. The uncle and aunt did not have a good dinner.   4. They ate dinner at a quarter after twelve.   5. Madame Roland looked at the potatoes.   6. She did not draw the turkey from the stove.   7. When she opened the door, she did not laugh.   8. The turkey disappeared, but the potatoes did not disappear.   9. Madame Roland did not cease to look for the turkey.   10. The grandfather and the grandmother saw the turkey in the stove.

20. Le dindon de Noël (suite)

A l'autre extrémité du village demeure Madame Duval avec ses enfants, Jeanne, Émile et Anne. Le père est mort et ils sont très pauvres.

« C'est demain Noël, » dit Madame Duval, « mais
5 nous n'aurons pas de dindon, je n'ai pas d'argent pour en acheter. Il nous faudra manger des pommes de terre et du lait. »

« Pas de dindon ! Ce ne sera pas Noël, si nous n'avons pas de dindon, » dit la petite Anne en pleurs.

10   Devant le feu César, un grand chien noir, est assis. Il remarque que la petite Anne est très triste et il s'approche d'elle et lui lèche la main.

Le jour de Noël, à une heure, la famille Duval est assise à table. Sur la table il y a des pommes de terre et du lait.
15   « Oh, comme je voudrais un morceau de dindon! » dit Émile en pleurant.

César entend ce qu'Émile dit. Il se lève, va à la porte et aboie.

« Allez ouvrir la porte à César, » dit la mère à Émile,
20 « il veut sortir. »   Émile ouvre la porte et César se sauve en courant.

Les enfants mangent les pommes de terre et boivent le lait en silence. Bientôt ils entendent le chien gratter à la porte.
25   « C'est César, » dit Émile. Il ouvre la porte et César saute dans la maison. Il tient un gros dindon dans sa gueule.

« César, où avez-vous trouvé le dindon? » crient les enfants. La mère dit: « Je crois qu'un bon ami a vu le
30 chien et lui a donné le dindon pour nous; nous allons le

manger. »   Les enfants sont très contents et mangent le dindon.

« Il est excellent, » dit la petite Anne; « César, vous êtes un bon chien; où avez-vous trouvé ce bon dindon?

Ne pouvez-vous pas y retourner et rapporter d'autres 5 bonnes choses? »

Mais César reste assis sous la table; il mange les os et ne dit pas où il a trouvé le dindon.

QUESTIONNAIRE XX

1. Qui demeure à l'autre extrémité du village?
2. Combien d'enfants y a-t-il dans cette famille?
3. Les enfants ont-ils un père?
4. Ont-ils autant (*as much*) d'argent que les enfants de Madame Roland?
5. Qu'est-ce qu'ils auront pour le dîner de Noël?
6. Pourquoi la petite Anne pleure-t-elle?
7. Qui remarque qu'elle est triste?
8. Comment essaye-t-il de la consoler?
9. A quelle heure la famille Duval se met-elle à table?
10. A qui Émile ouvre-t-il la porte?
11. César est-il content de se sauver?
12. Pourquoi les enfants ne parlent-ils pas à table?
13. Qui gratte à la porte?

14. Comment savez-vous que les enfants sont étonnés de voir César?

15. Qui a vu le chien?

16. Lui a-t-il donné le dindon?

17. Qu'est-ce que la petite Anne demande au chien?

18. Dit-il où il a trouvé le dindon?

19. Que pensez-vous de César?

20. Votre famille a-t-elle toujours un dindon doré le dernier jeudi (*Thursday*) de novembre?

EXERCICE 20

A. *Idiotismes:* Cesser de; en pleurs; il nous faudra manger; en silence.

B. *Étudiez le présent et le futur du verbe* tenir; *les passés indéfinis:* J'ai voulu, vu, mis, pu, fait, écrit, couru, tenu; *les jours; les mois; les dates.*

C. *Conjuguez:* 1. Je ne tiens pas le petit oiseau. 2. Je ne tiendrai pas le pot au lait sur ma tête. 3. Est-ce que j'ai tenu le pigeon? 4. J'ai voulu manger le dindon. 5. Ai-je fait un bon déjeuner?

D. *Lisez en français:* January 2, March 15, on July 4, on the first of August, in the month of June, in April, May 6, on September 15, on the eighth of February, October twelfth.

E. *Madame Duval raconte sa bonne fortune.*

F. *Traduisez en français:*

1. Let us not hold the dog.
2. Who will hold him?
3. You have held the door.
4. They do hold the turkey.
5. We have made a cake.
6. Have you seen the fox?
7. You have written the letter.
8. The cakes have run fast.
9. The old men have wished to eat.
10. The fox has been able to escape.
11. We wished to eat.
12. Where did Madame Duval put the turkey?

G. *Écrivez en français:* 1. Madame Duval has not been able to buy a turkey. 2. She will have to eat potatoes. 3. Her children have not ceased to weep. 4. Émile wanted a piece of turkey. 5. The big black dog ran to the door and barked.

6. Soon Émile heard the dog scratching at the door.   7. When
he opened the door, César sprang into the room.   8. César
stole Madame Roland's turkey.   9. He did not tell the children where he found the turkey.   10. But he couldn't bring
back other good things.

21. Le parterre enchanté

Henri est un petit prince. Son père, le roi, l'aime beaucoup, et fait tout ce qu'il peut pour le rendre heureux.
Il lui donne beaucoup de jouets et beaucoup de livres
avec de belles images.

Henri a aussi un petit cheval et un beau bateau, et 5
il s'amuse quelquefois à ramer sur l'étang dans le parc
du château.

Mais malgré tous les cadeaux qu'on lui a faits, le petit
prince n'est pas heureux. Il ne rit pas et il est toujours
triste. 10

Un jour, un vieux médecin entre dans la grande salle,
où sont assis le petit Henri et son père.

Le médecin a entendu parler du prince qui est toujours triste et il dit au roi: « Je peux rendre le prince
heureux, s'il m'accompagne à la maison et reste chez moi 15
pendant l'été. »

« Eh bien, » dit le roi, « le prince va vous accompagner,
et si vous réussissez à le rendre heureux, votre fortune
sera faite. » Et le petit prince accompagne le vieux
médecin chez lui. 20

« J'ai dans mon jardin, » dit le médecin à Henri, « un
parterre de fleurs qui peut parler. »

« C'est curieux, » dit Henri, « je veux voir ce parterre. »

« Suivez-moi et vous le verrez, » dit le médecin et il
conduit le jeune prince dans le jardin. 25

Le prince ne voit qu'un parterre, dans lequel rien ne
pousse, ni fleurs ni verdure.

« Le parterre ne parle pas, » dit Henri, « du moins je n'entends rien. »

« Si vous y venez tous les jours, vous entendrez ce que dit le parterre de fleurs, » répond le vieux médecin.

5 Et tous les jours le prince vient, mais le parterre ne lui dit toujours rien.

Un jour le prince aperçoit beaucoup de petites plantes dans le parterre.

« Pouvez-vous lire ce que disent les plantes? » dit le
10 médecin.

« Oh, oui, » dit Henri, « les plantes forment des mots. »

Et Henri lit ces mots, que les plantes ont formés:
« *Faites des heureux et vous serez heureux vous-même.* »

« Oui, oui, je vais faire cela, » dit le prince, « je rendrai
15 quelqu'un heureux tous les jours de ma vie. »

Et le petit prince a tenu la promesse qu'il a faite. Chaque jour il répand le bonheur autour de lui et toutes les personnes qui l'entourent et qu'il a rendues heureuses, l'aiment et l'admirent. Aussi est-il lui-même parfaite-
20 ment heureux.

QUESTIONNAIRE XXI

1. Comment savez-vous que le roi aime son fils?
2. Les beaux jouets l'ont-ils rendu heureux?
3. Qui vient voir le prince et son père?
4. Pourquoi vient-il?
5. Qu'est-ce que le prince va faire?
6. Que montre le médecin à Henri?
7. Où est le parterre?
8. Qu'est-ce qu'il y a dans le parterre?
9. Est-ce qu'Henri entend ce que dit le parterre?
10. Qu'est-ce que le médecin lui dit de faire?
11. Qu'est-ce qui arrive?
12. Que demande le médecin à Henri?
13. Quels mots le jeune prince lit-il?
14. Quelle promesse Henri fait-il?

15. L'a-t-il tenue?
16. Quelles personnes l'admirent?
17. Pourquoi est-il heureux?
18. Quelle leçon pouvez-vous tirer de cette histoire?
19. Essayez-vous toujours de rendre vos maîtres heureux?
20. Et vos maîtres réussissent-ils à vous rendre heureux?

EXERCICE 21

A. *Idiotismes:* S'amuser; entendre parler de; réussir à; du moins.

B. *Étudiez* suivre, je suis, je suivrai, j'ai suivi; *l'accord du participe passé conjugué avec* avoir; *l'adjectif interrogatif* quel.

C. *Conjuguez:* 1. Je suis mon père. 2. Est-ce que je suis le petit prince? 3. Est-ce que je n'ai pas suivi le médecin? 4. Je ne suivrai pas le gâteau. 5. Ai-je suivi le roi?

D. *Remplacez les tirets par les participes convenables:*

1. (manger, rapporter) Bruno a —— les gâteaux qu'il a —— de la boulangerie. 2. (trouver) Vous avez de belles fraises rouges; où les avez-vous ——? 3. (voler, mettre) L'aubergiste a —— la nappe que le petit garçon a —— sur la table. 4. (remplir) Le pot que Perrette a —— de lait, se renverse. 5. (voir) Le chat a-t-il —— des oiseaux? 6. (guérir) Émile a —— l'aile du pigeon. 7. (écrire, vouloir) Les doigts ont —— la lettre que l'annulaire a —— écrire. 8. (rencontrer, perdre) La vache et le cochon que le gâteau a —— l'ont —— de vue. 9. (entendre) César est-il un des chiens que les enfants ont —— gratter à la porte? 10. (rendre) Quelles personnes a-t-il —— heureuses?

E. *Écrivez cet exercice, en imitant l'exemple suivant:* quel gâteau, quels gâteaux.

morceau	œuf	voix
maison	rue	couteau
enfant	oiseau	pomme
auberge	jardin	an
arbre	ville	mois
chapeau	chevreau	fils

manteau   pomme de terre

F. *Racontez l'histoire du parterre enchanté.*

G. *Traduisez en français:*

1. We follow the doctor.
2. Who follows the dog?
3. The fox will not follow the cake.
4. Don't follow us.
5. Let us follow him.
6. We are going to follow her.
7. Have you followed them?
8. Will the prince follow the king?
9. You do not follow me.
10. The monkeys will follow the old man.
11. Who will follow you?

H. *Écrivez en français:* 1. The king tries to make the little prince happy. 2. He does not succeed in making him happy. 3. What presents has he given him? 4. Sometimes Henry enjoys reading the books which his father has presented to him. 5. An old doctor thinks he can make the prince happy. 6. If Henry follows the doctor, he will see a flower bed that can speak. 7. At least Henry will remain during the summer at the doctor's. 8. Don't you see many little plants in the flower bed, Henry? 9. Yes, I am going to read the words which the plants have formed. 10. What promise did the prince make?

22. Le perroquet du vieux marin

Un vieux marin a un perroquet dans sa chambre. L'oiseau s'appelle Pierrot et Pierrot peut parler.

5   Quand son maître lui dit: « Pierrot, où êtes-vous? » le perroquet répond, « Me voilà. »

Charles, un petit ami du vieux marin, vient souvent le voir. Il aime beaucoup le perroquet et joue toujours
10 avec l'oiseau.

Un jour que le vieux marin est allé voir un de ses amis, Charles arrive et ne le trouve pas à la maison.

« Le vieux marin est sorti, » dit-il; « je vais voler l'oiseau.   Il croira que le chat l'a mangé. »   Il prend l'oiseau, le met dans sa poche et est sur le point de sortir 5 de la maison quand voilà le vieux marin qui arrive dans la chambre.

« Pierrot, où êtes-vous ? » crie-t-il.

« Me voilà, » répond l'oiseau dans la poche du petit garçon.   10

Le vieux marin dit à Charles: « Vous êtes un méchant garçon; allez et ne revenez jamais chez moi. »

Charles est parti en pleurant et n'est jamais revenu chez le vieux marin.

QUESTIONNAIRE XXII

1. Quel est le titre de l'histoire ?
2. Avez-vous jamais vu un perroquet ?
3. Où l'avez-vous vu ?
4. Comment s'appelle le perroquet de cette histoire ?
5. Que lui dit quelquefois le vieux marin ?
6. Quelle est la réponse de l'oiseau ?
7. Qui est le petit ami du vieux marin ?
8. Comment Charles montre-t-il qu'il aime Pierrot ?
9. Que voit-il un jour chez le vieux marin ?
10. Qu'est-ce qu'il se décide à faire ?
11. Que fait-il de l'oiseau ?
12. Pourquoi n'a-t-il pas réussi à voler Pierrot ?
13. Comment le vieux marin sait-il que Charles a voulu voler son oiseau ?
14. Que lui dit-il de faire ?
15. Charles est-il parti heureux ?
16. Est-il revenu le lendemain ?
17. Êtes-vous jamais allé chez un ami ?
18. Quand vous êtes arrivé, l'avez-vous trouvé chez lui ?
19. Y êtes-vous resté longtemps ?

EXERCICE 22

A. *Étudiez* croire, je crois, je croirai, j'ai cru; *l'accord du participe passé conjugué avec* être; *le pronom interrogatif* lequel.

B. *Conjuguez:* 1. Je crois qu'il est malade. 2. Je ne le croirai jamais. 3. Je suis descendu de l'arbre. 4. Je ne suis pas tombé dans la rue. 5. Ne suis-je pas revenu?

C. *Remplacez les tirets par la forme convenable du pronom* lequel: 1. —— de ces hommes donnez-vous vos fraises? 2. —— de ces jeunes filles sont arrivées? 3. Voici de beaux cadeaux; —— choisissez-vous? 4. Avec —— de ses fils êtes-vous venu? 5. —— de ces meuniers a-t-il acheté la farine? 6. Quelles belles fleurs! —— avez-vous apportées?

D. *Essayez de dramatiser cette petite histoire:*

> *Personnages:*
> *Jean Colas, vieux marin.*
> *Charles, son petit ami.*
> *(Pierrot, le perroquet).*
> *La scène se passe dans la chambre de Jean Colas.*

E. *Traduisez en français:*

1. Have I not come from the doctor's?
2. Who has left the room?
3. These old men fell.
4. Have they returned?
5. Our sisters have not come.
6. Louise has left the house.
7. We have not fallen.
8. You have descended from the tree.
9. We have come back.
10. Has Charles gone out?

F. *Écrivez en français:* 1. We have come from the old sailor's. 2. He has a parrot which is called Pierrot. 3. We entered his room and saw Pierrot. 4. We asked the bird, "Where are you?" 5. We are going to steal the bird. 6. Let us take the bird and I will put it in my pocket. 7. The old sailor returned and called Pierrot. 8. When his master asked, "Where are you?" Pierrot replied, "Here I am." 9. He did not remain long in my pocket. 10. We left weeping and never returned to the old sailor's.

23. Les trois princesses

Victoire, Hélène et Marguerite sont trois petites princesses. Leur père est roi d'un grand pays, leur mère, la reine, est morte.

Un jour les trois petites filles jouent dans le jardin. Le roi est assis à une des fenêtres du palais et lit un livre, 5 mais il entend tout ce que disent les petites filles dans le jardin.

« J'aime beaucoup notre père, » dit Victoire, « je l'aime plus que vous, Hélène, et plus que vous aussi, Marguerite. Qu'est-ce que je vais bien dire ? Je l'aime 10 plus que le pain. »

« Plus que le pain ! » dit Hélène, « ce n'est pas beaucoup. J'aime mon père plus que vous. Le vin est meilleur que le pain, et j'aime mon père plus que le vin. »

Alors la petite Marguerite dit: « Moi, j'aime notre 15 père plus que vous, je l'aime plus que le sel. »

« Plus que le sel, c'est ridicule ! » et Victoire et Hélène rient beaucoup.

Mais le roi ne rit pas, il aime beaucoup la petite Marguerite, et il pense: 20

« Ah, mon enfant ne m'aime pas, car elle a dit: ‹ J'aime notre père plus que le sel ! › Pourquoi ne dit-elle pas qu'elle m'aime plus que l'or ou plus que les diamants ?»

Mais le cuisinier du roi, qui est venu dans le jardin a entendu la conversation des petites princesses. 25

Il se dit: « La petite Marguerite est très intelligente, elle est plus intelligente que ses sœurs; le roi le verra avant peu. »

.   .   .   .

L'heure du dîner est arrivée. Les petites princesses sont entrées avec leur père dans la grande salle à manger 30 du château. Le roi est assis au milieu de la table, il mange la soupe.

« La soupe n'est pas bonne, » dit-il.   Il prend alors
du poisson.   « Le poisson n'est pas bon non plus; apportez la viande, » dit-il au valet.

« Je ne peux pas manger la viande

5 non plus, » dit le roi.   « Mon cuisinier est devenu
fou, je vais le
chasser. »

« Non, cher
10 père, » dit
Marguerite
en riant, « la
soupe, la
viande et le
15 poisson ne sont
pas bons, parce
qu'ils n'ont pas
de sel. »

« C'est vrai, mon enfant, et c'est vous qui m'aimez le
20 mieux, » dit le roi, en embrassant la petite Marguerite.

Rira bien, qui rira le dernier.

QUESTIONNAIRE XXIII

1. Nommez les membres de cette famille royale.
2. Les princesses ont-elles une mère?
3. Qui lit le livre à la fenêtre?
4. Qu'est-ce que Victoire déclare?
5. Quelle est la réponse d'Hélène?
6. Comment la petite Marguerite aime-t-elle son père?
7. Comment les sœurs trouvent-elles sa déclaration?
8. Le roi est-il content de ce qu'elle a dit?
9. Quelle est l'opinion du cuisinier?
10. L'heure du dîner est-elle arrivée?
11. Qui est entré dans la grande salle à manger?
12. Que pense le roi de son dîner?
13. Que dit-il de son cuisinier?

14. Que dit la petite Marguerite alors?
15. Laquelle des princesses aime le mieux son père?
16. Aimez-vous votre père plus que le sel?
17. Laquelle des princesses trouvez-vous la plus intelligente?
18. Qui a ri le dernier dans l'histoire?

EXERCICE 23

A. *Étudiez* lire, je lis, je lirai, j'ai lu; *le pronom relatif.*

B. *Conjuguez:* 1. Je lis mon livre. 2. Est-ce que je lirai votre lettre? 3. J'y suis resté(e) trois jours. 4. Je suis devenu(e) pauvre. 5. Ne suis-je pas parti(e) pour la France?

C. *Remplacez les tirets par le pronom relatif convenable:*

1. Le roi —— entend la conversation, ne rit pas. 2. Voici le vieux marin —— Charles a volé l'oiseau. 3. C'est un parterre enchanté —— le médecin montre au prince. 4. César n'entend pas —— disent les enfants. 5. La laitière —— le pot au lait se renverse, retourne en pleurant à la maison. 6. Lisette, de —— les enfants rient, est très paresseuse. 7. Le pigeon —— Émile a guéri l'aile, peut voler de nouveau. 8. Les sept chevreaux, à la porte —— le loup frappe, n'ouvriront pas. 9. Montrez-moi la rue dans —— vous demeurez. 10. Je n'aime pas les petits garçons avec —— vous avez joué.

D. *Le roi raconte l'histoire.*

E. *Traduisez en français:*

1. Don't read any more.
2. We are going to read.
3. Who will read?
4. The king has read the letter.
5. Have the princesses read the book?
6. Do you read the story?
7. We are reading it.
8. Shall you read the letters?
9. Will your brothers read their books?
10. Are they reading them?

F. *Écrivez en français:* 1. I am a little princess, whose name is Marguerite. 2. I have two sisters who are older than I. 3. One day we went to play in the garden. 4. My father, the king, came to sit down near the window. 5. He heard what we said. 6. My sisters laughed because I said, "I love my father more than salt." 7. The cook whom we saw in the garden did not laugh. 8. My father could not eat the soup and the meat.   9. We never eat soup which does not have salt.   10. It is I who love my father most.

24. Le cadeau de Noël d'Yvonne

La petite Yvonne est une charmante petite fille de huit ans.   Elle habite avec sa mère dans une grande maison près de Nice.

Le père est mort à la guerre et la mère est obligée de
5 louer la plus grande partie de la maison pour pouvoir vivre et élever la petite Yvonne.

En ce moment une famille américaine habite avec eux. Dans cette famille il y a deux petites filles, Mary et Ella, et Yvonne joue souvent avec elles dans le grand jardin
10 derrière la maison.

« C'est demain Noël, » dit un jour Ella.

« Noël, qu'est-ce que c'est que cela ? » demande Yvonne.

« Oh, le Père Noël vient apporter de beaux cadeaux,
15 des poupées, des livres et des bonbons. »

« Mais quand vient-il ? » dit Yvonne.

« Il vient pendant la nuit, quand nous sommes endormies.   Il vient par la cheminée et met les cadeaux dans nos bas que nous avons pendus au pied de notre lit.
20 Yvonne, il faut pendre vos bas à votre lit, le Père Noël viendra aussi chez vous. »

« Oh, je ne manquerai pas de le faire, » dit Yvonne. Et la petite fille rentre chez sa maman et dit: « Mère, c'est demain Noël, et le Père Noël viendra pendant la
25 nuit apporter des cadeaux.   Il viendra par la cheminée. »

« Oui, ma chère enfant, » dit la mère, « mais vous savez que nous sommes très pauvres, et je crois qu'il n'a pas de cadeaux pour les enfants pauvres. »

Yvonne et sa mère se mettent à table, mangent leur
30 maigre souper, puis la petite fille va se coucher.

« Mère, » dit l'enfant, « je n'ose pas pendre mes bas,
ils ne sont pas assez jolis; mais je vais mettre mon
soulier dans la cheminée. Si le Père Noël vient, il pourra
mettre mes cadeaux dans le soulier. »

Le lendemain de bonne heure elle se réveille, s'approche 5
du soulier et trouve
dans le soulier un petit,
tout petit oiseau. Dans
la cheminée il y a un nid
plein de petits oiseaux   10
et ce petit oiseau est
tombé du nid.

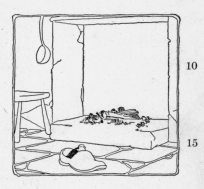

« Ah, mère, mère, »
dit Yvonne, « voyez, le
Père Noël m'a apporté   15
un petit oiseau. Je vais
montrer mon cadeau à
Mary et à Ella. »

Elle prend l'oiseau et s'en va chez les petites Américaines.   20

« Est-ce que le Père Noël vous a apporté quelque
chose ? » dit Mary.

« Regardez, » dit Yvonne, « hier soir quand je me suis
couchée, j'ai mis mon soulier dans la cheminée et ce
matin quand je me suis réveillée, voilà ce que j'ai 25
trouvé. »

« Un oiseau ? Moi, quand je me suis levée, j'ai trouvé
cette jolie poupée dans mon bas; elle dit ‹ Papa, Maman ›,
mais un oiseau peut chanter et cela vaut mieux. »

« Avez-vous une cage pour mettre l'oiseau, Yvonne ? » 30
dit Mary.

« Non, je n'ai pas de cage, » dit Yvonne.

« Eh bien, vous pouvez prendre ma cage, » dit Mary,
« mon oiseau est mort. » Et Mary sort de la chambre
et revient bientôt avec une belle cage dorée.   35

« Oh, comme c'est joli ! » s'écrie Yvonne, « je vous remercie mille fois, » et elle embrasse Mary.

« Tiens, Yvonne, voilà des bonbons de ma part, » dit Ella.

5   Yvonne toute joyeuse porte la cage et les bonbons à sa mère.

« Mère, » dit-elle, « regardez donc mes cadeaux de Noël. Mary et Ella ont des poupées, mais j'aime mieux un oiseau dans une jolie cage. Vraiment le Père Noël 10 s'est montré généreux. L'année prochaine je remettrai mon soulier dans la cheminée. »

QUESTIONNAIRE XXIV

1. Quel âge a la petite Yvonne ?
2. Où habite-t-elle ?
3. Savez-vous où la ville de Nice est située ?
4. Qu'est devenu le père d'Yvonne ?
5. Comment savez-vous que la mère est pauvre ?
6. Avec qui Yvonne joue-t-elle ?
7. Que disent-elles du Père Noël ?
8. Qu'est-ce qu'Yvonne se décide à faire ?
9. A qui le Père Noël donne-t-il des cadeaux d'après (*according to*) la mère ?
10. Yvonne a-t-elle pendu ses bas la veille de Noël ?
11. Que trouve-t-elle dans son soulier le lendemain matin ?
12. Que dit-elle aux petites Américaines ?
13. Qu'est-ce que Mary et Ella ont trouvé, quand elles se sont levées ?
14. Pourquoi Yvonne ne met-elle pas son oiseau dans une cage ?
15. Quel cadeau Mary fait-elle à sa petite amie ?
16. Que lui donne Ella ?
17. Pourquoi Yvonne est-elle heureuse ?
18. Le Père Noël s'est-il montré généreux ?
19. Donnez-vous souvent des cadeaux de Noël ?
20. En donnez-vous aux enfants pauvres ?

EXERCICE 24

A. *Idiotismes:* Obliger de + *infinitif;* valoir mieux; remercier quelqu'un de quelque chose; manquer de + *infinitif;* de ma part; en ce moment; l'année prochaine (dernière).

B. *Étudiez* savoir, je sais, je saurai, j'ai su; je me suis levé; *les pronoms interrogatifs.*

C. *Conjuguez:* 1. Je ne sais pas cela.   2. Est-ce que j'ai su cela?   3. Je me suis couché(e).   4. Me suis-je sauvé(e)? 5. Je me suis acheté une belle vache.

D. *Remplacez les tirets par les terminaisons convenables:*

1. La petite fille s'est montr—— généreuse.   2. Le petit garçon et le vieillard se sont donn—— des paniers.   3. L'aubergiste s'est avanc——.   4. Nous nous sommes endorm——. 5. Les pigeons se sont-ils cass—— les ailes?   6. Le Petit Chaperon Rouge et sa grand'mère s'en sont all——.   7. La porte s'est ouver——.   8. Les petits princes se sont amus—— à ramer sur l'étang.   9. Mon père et moi, nous nous sommes lev—— de bonne heure.   10. Le chat s'est étend—— sur l'herbe.

E. *Mary raconte l'histoire.*

F. *Traduisez en français:*

1. We have known that.
2. They will know it.
3. Who knows?
4. My cousins know what he said.
5. Do you know that?
6. She will know it to-morrow.
7. He knew what he said.
8. You will know your lesson.
9. Shall we not know our lessons?
10. We do know them.
11. I know what I wish.

G. *Écrivez en français:* 1. I am a little French girl eight years old.   2. We are obliged to rent the greatest part of our house.   3. Do you ask who lives with us at this moment? 4. Two American girls, who tell me that Santa Claus will come to bring me presents.   5. Last year I failed to hang up my stockings.   6. This morning I got up early and found a bird in my shoe.   7. I do not know who brought it, but I shall thank Santa Claus for the gift. 8. Mary and Ella awoke late this morning. 9. They have shown themselves very generous. 10. We know that a bird is worth more than a doll.

25. Le paysan et les alouettes

Une alouette a un nid dans un champ. Dans le nid il y a six petites alouettes. Les petites alouettes sont toutes petites et ne peuvent pas encore voler.

Un jour le paysan vient avec son fils dans le champ.
5 Il lui dit:

« Charles, le blé est mûr, il faut le couper. Allez trouver votre cousin, chez qui je suis allé faire la récolte l'année dernière et dites-lui qu'il lui faut venir nous aider cette année. »

10 « Ah, mère, mère, » disent les petites alouettes, qui ont entendu les paroles que le fermier a prononcées, « il nous faut nous envoler. »

« Non, » dit la mère, « nous pouvons attendre. »

Deux jours après le paysan revient avec son fils dans
15 le champ.

« Charles, » dit le père, « le cousin n'est pas venu et il faut couper le blé; allez trouver votre oncle et dites-lui qu'il lui faut venir nous aider. »

« Ah, mère, mère, » disent les petites alouettes, « cette
20 fois il nous faut nous envoler ! »

« Non, » dit la mère, « nous pouvons encore attendre. »

Deux jours se passent et le paysan revient avec son fils dans le champ.

« Charles, » dit-il, « l'oncle et le cousin ne sont pas
25 venus, et nous ne pouvons plus attendre. Demain nous nous lèverons de bonne heure et nous couperons le blé nous-mêmes. »

« Ah, mère, mère, » disent les petites alouettes, « il nous faut nous envoler ! »

« Oui, mes enfants, » dit la mère, « maintenant il est temps de nous envoler. »

Il ne faut jamais compter sur autrui.

« If you wish a thing done, do it yourself. »

QUESTIONNAIRE XXV

1. Quel est le titre de l'histoire ?
2. Dans quelle autre histoire avez-vous rencontré des alouettes ?
3. Combien d'alouettes y a-t-il dans ce nid ?
4. Qui les alouettes ont-elles entendu parler dans le champ ?
5. Qu'est-ce que le paysan a dit à son fils de faire ?
6. La vieille alouette a-t-elle entendu les paroles que le paysan a prononcées ?
7. S'est-elle envolée tout de suite ou est-elle restée plus longtemps ?
8. Qui est revenu deux jours après ?
9. Qui est-ce que Charles va trouver la seconde fois ?
10. Les alouettes ont-elles peur cette fois ?
11. Que dit la mère ?
12. L'oncle et le cousin viennent-ils ?
13. Quelle est la résolution du père ?
14. Pourquoi les alouettes se sont-elles envolées immédiatement ?
15. Comptez-vous sur autrui, quand vous préparez vos leçons ?

EXERCICE 25

A. *Étudiez* venir, je viens, je viendrai, je suis venu; *les nombres cardinaux jusqu'à* mille.

B. *Conjuguez:* 1. Je viens de chez nous. 2. Est-ce que je suis venu du village ? 3. Je viendrai les voir demain. 4. Ne suis-je pas venu de bonne heure ? 5. Est-ce que je ne viendrai pas ici demain ?

C. *Remplacez les infinitifs par les participes convenables:*

1. Charles est-il (aller) chez le vieux marin ? 2. Où sont les gâteaux que Bruno a (saisir) ? 3. Voulez-vous me donner les fraises que vous avez (trouver) ? 4. Les singes ne se sont

pas (endormir). 5. Perrette n'est pas (tomber) dans l'herbe. 6. Ce sont les poules de Pierre que le loup a (prendre). 7. Nos chats ont (grimper) à l'arbre, puis ils sont (descendre) de l'arbre. 8. Le pigeon s'est (casser) l'aile; l'avez-vous (guérir)? 9. La porte s'est (ouvrir), puis les chevreaux se sont (sauver). 10. Les personnes que vous avez (rendre) heureuses se sont (montrer) généreuses.

D. *Écrivez les nombres suivants en français:*

36	82	101
62	90	106
57	97	240
75	98	999

E. *Racontez l'histoire du paysan et des alouettes.*

F. *Traduisez en français:*

1. We shall not come.
2. He is coming.
3. Mary and her sister have come.
4. Don't come.
5. The larks are coming.
6. Who will come?
7. Let us come.
8. Have you and your brother come?
9. My father and my mother will come.
10. Is the uncle going to come?

G. *Écrivez en français:* 1. We are six little larks who live in a nest in a field. 2. We cannot yet fly. 3. One day a peasant and his son came into the field. 4. The peasant told his son to go to find his cousin. 5. We heard what the peasant said. 6. We asked our mother, "Must we fly away?" 7. Our mother told us to wait a little. 8. The cousin and the uncle did not come to cut the wheat. 9. We heard the peasant say, "Let us cut the wheat ourselves." 10. This peasant never counts on others.

26. L'élève ponctuel

Maurice Duval a sept ans. Il arrive toujours de bonne heure à l'école.

« Si je n'arrive pas en retard une seule fois dans l'année, je remporterai un beau prix, » dit-il souvent.

Un matin vers huit heures une petite fille frappe à la porte de Madame Duval.

« Que voulez-vous, mon enfant ? » dit-elle.

« Votre sœur, Madame Robinet, est malade, et elle vous demande d'aller la voir, » dit la petite fille. 5

« Maurice, » dit la mère, « votre pauvre tante est malade, et il me faut aller chez elle. Vous allez rester ici près du berceau pour veiller sur le petit Charles. Vous irez à l'école, quand je reviendrai. »

« Oui, mère, mais il me faut arriver à l'école à neuf 10 heures moins un quart. C'est aujourd'hui le dernier jour, et si je n'arrive pas en retard aujourd'hui, je remporterai le prix. »

« Je ne serai pas longtemps, » dit la mère et elle va chez la tante. 15

Maurice s'assied près du berceau, son chapeau et ses livres à la main et berce le petit Charles.

Huit heures sonnent, puis huit heures et quart, et la mère ne revient toujours pas. « Si ma maman ne revient pas, je n'aurai pas mon prix, » se dit-il. 20

Huit heures et demie sonnent, Maurice va à la porte, mais il ne peut pas apercevoir sa mère.

« Ah, il me faut partir pour l'école; si je n'y vais pas, je ne remporterai pas le prix; mais le petit frère ne peut pas rester ici, il faut l'emmener. » 25

Et Maurice prend un grand manteau, y met le petit Charles, prend la bouteille de lait dans la main gauche et sort de la maison.

A neuf heures moins le quart Maurice entre dans la salle de classe avec le petit Charles sur son bras. 30

« Mais, Maurice, qu'avez-vous là ? » demande la maîtresse étonnée.

« Mon petit frère, il s'appelle Charles. Ma tante est malade, et ma mère est chez elle. Je n'ai pas voulu arriver en retard et j'ai amené Charles. Il est très 35 gentil et ne pleure pas beaucoup; voulez-vous le prendre —? »

« Oui, je veux bien. Vous êtes un bon petit garçon, Maurice, et Charles peut rester ici. Votre mère viendra
5 le chercher ici, quand elle aura fini de soigner votre tante. »

Et la maîtresse prend l'enfant et s'assied sur sa chaise. Elle ôte le grand manteau et le petit Charles apparaît dans sa longue robe blanche.

« Il est très gentil, » dit-elle; « allons, mes enfants, il
10 faut lui chanter une chanson; » et toute la classe chante:

Fais dodo, Colin, mon petit frère,
Fais dodo, tu aura du lolo;
Papa est en haut, qui fait des sabots;
Maman est en bas, qui fait des bas.

15   Puis la maîtresse fait un lit avec deux chaises et y couche l'enfant.

QUESTIONNAIRE XXVI

1. Quel âge a le petit garçon de notre histoire?
2. Que dit-il souvent?
3. Qu'est-ce qui arrive un matin?
4. Quelle est la triste nouvelle que la petite fille annonce?
5. Qu'est-ce que Maurice va faire pendant l'absence de sa mère?
6. Quand pourra-t-il aller à l'école?
7. Est-il content de rester à la maison?
8. Comment savez-vous qu'il est mal à son aise (*uncomfortable*)?
9. Quelle heure est-il, quand il va à la porte?
10. Aperçoit-il sa mère?
11. Qu'est-ce qu'il se décide à faire?
12. Pourquoi la maîtresse est-elle surprise de le voir?
13. Que lui dit-il?
14. Quand la mère viendra-t-elle?
15. Que pense la maîtresse de Charles?
16. Comprenez-vous la chanson que la classe a chantée?

17. Récitez les paroles.

18. Qu'est-ce que la maîtresse a fait de l'enfant?

EXERCICE 26

A. *Étudiez* apercevoir, j'aperçois, j'apercevrai, j'ai aperçu; si + *le présent*, quand + *le futur; le participe présent*.

B. *Conjuguez:* 1. J'aperçois mon petit frère. 2. Je n'aperçois pas le maître. 3. Est-ce que j'apercevrai l'aubergiste? 4. Je n'ai pas reçu le cadeau. 5. Je reçois ma nappe.

C. *Complétez les phrases suivantes:* 1. Les alouettes s'envoleront, si ——. 2. Le perroquet dira « Me voilà! » quand ——. 3. Un oiseau ne tombera pas dans le soulier d'Yvonne, si ——. 4. Le vieillard ne donnera pas le panier d'or au petit garçon, si ——. 5. Les singes jetteront leurs bonnets sur l'herbe, quand ——. 6. Les chevreaux n'ouvriront pas la porte, quand ——.

D. *Observez les participes présents:*

ayant	disant	écrivant
croyant	faisant	prenant
voyant	lisant	sachant

E. *Racontez la première partie de cette histoire.*

F. *Traduisez en français:*

1. My mother perceives the child.

2. Do we perceive the school?

3. She will never receive a prize.

4. Do you not perceive the house?

5. We are going to receive a letter.

6. Who will perceive the boy's mother?

7. Has Maurice received the prize?

8. The two sisters perceive the king.

9. Does she perceive her son?

10. You have received him.

G. *Écrivez en français:* My son Maurice goes to school every day. 2. If he arrives early, he will receive a prize. 3. My sister became sick and I must go to her house. 4. Maurice, you must watch over your little brother. 5. When you arrive at school, the mistress will give you the prize. 6. While waiting for me, Maurice rocks the cradle. 7. If he does not perceive me, he will not be able to set out for school.   8. When he sets out, he will take his little brother along.   9. If the mistress sees the punctual pupil carrying his brother, she will be astonished.   10. While making a bed with two chairs, she will sing a song.

27. L'élève ponctuel (suite)

A neuf heures Madame Duval revient à la maison.

Elle ouvre la porte. « Maurice ! » crie-t-elle; personne ne répond. Elle entre dans la maison, mais elle trouve la chambre vide.

5 « Où sont mes enfants ? » dit-elle, et elle cherche dans toutes les chambres, mais elle ne peut pas trouver ses enfants.

Elle va à la maison voisine, où demeure Madame Lebrun. « Avez-vous vu mes enfants ? » dit-elle.

10 « Oui, j'ai vu Maurice, il a quitté la maison avec le petit Charles sur son bras. »

« Ah, je comprends, il a emmené Charles à l'école pour ne pas arriver en retard. »

Et Madame Duval va vite à l'école.

15 « Est-ce que mon petit Charles est ici ? » dit-elle à la maîtresse.

« Oui, Maurice a amené son petit frère, le voilà. » La mère prend l'enfant et s'en va.

A midi Maurice retourne à la maison. « Oh, mère, » 20 dit-il, « je suis bien content, je ne suis pas arrivé en retard, et la maîtresse m'a donné le prix ! Elle dit que Charles est très gentil et qu'il pourra aller avec moi à l'école, quand il sera grand. »

La mère l'embrasse et dit: « Oui, Maurice, vous avez 25 bien fait. La fois prochaine je ne m'en irai plus, quand vous serez prêt à aller à l'école. »

A qui veut, rien n'est impossible.

QUESTIONNAIRE XXVII

1. A quelle heure Madame Duval revient-elle?
2. Pourquoi n'aperçoit-elle pas ses enfants?
3. Où cherche-t-elle?
4. Où va-t-elle alors?
5. Que demande-t-elle à sa voisine?
6. La voisine a-t-elle aperçu les enfants?
7. Pourquoi Maurice emmène-t-il son frère à l'école?
8. Que dit la mère à la maîtresse?
9. Que fait la mère?
10. Pourquoi Maurice est-il content?
11. Qu'est-ce que la maîtresse a dit à propos de Charles?
12. Que dit la mère?
13. Êtes-vous toujours un élève ponctuel?
14. N'arrivez-vous jamais en retard à l'école?
15. Avez-vous jamais remporté un prix?

EXERCICE 27

A. *Mettez les verbes suivants à l'infinitif:* prenant, s'en ira, veux, ayez, revenues, suivra, couchez-vous, pleurant, fournissent, appelle, guérie, répondu, voient, court, aidée, lève, réussissez, lit, mise, sachant.

B. *Imitez cet exemple:* dire, je dis, j'ai dit, je dirai.

(il) dormir, faire, vendre (les enfants) suivre, venir
(nous) aller, tenir, apercevoir (qui) ouvrir, prendre.

C. *Quel est le féminin des adjectifs suivants:* bon, triste, heureux, beau, vieux, mûr, anglais, jolis, gros, blanc, généreux, fatigué, pauvre, fier, noirs, doux.

D. *Donnez aux phrases suivantes (a) la forme interrogative; (b) la forme négative:* 1. Maurice a sept ans. 2. Je suis riche. 3. Votre mère viendra à onze heures. 4. Charles s'est endormi. 5. Le grand-père et la grand'mère sont arrivés.

E. *Trouvez un synonyme pour chacune des expressions suivantes:* tout à coup, perdre de vue, finalement, en pleurant, content, chez moi, accompagner, apercevoir, est sur le point de sortir, drôle, habiter, forêt.

F. *Employez ces mots en phrases:* celui-là, cette, qui, qu'est-ce que, laquelle, ceux, ces, moi, elles, en.

G. *Conjuguez:* 1. Je vois la grande maison. 2. J'écrirai la lettre. 3. Je n'ai pas couru après le gâteau. 4. Je ne le veux pas. 5. Je ne rirai pas de vous.

H. *Imitez cet exemple:* donner, donnant, j'ai donné, je donne.

remplir	dire	prendre
attendre	dormir	rire
avoir	écrire	savoir
être	faire	suivre
aller	lire	tenir
apercevoir	mettre	venir
courir	ouvrir	voir
croire	pouvoir	vouloir

I. *Racontez la fin de cette histoire.*

J. *De toutes les histoires de la première partie, quelle est celle que vous préférez? Racontez-la.*

K. *Traduisez:* 1. Madame Duval will return home at nine o'clock. 2. She will call her son, but no one will reply. 3. When she enters the house, she will find the room empty. 4. If she looks in all the rooms, she will not be able to find her children. 5. She will soon know why Maurice took Charles to school. 6. She will go to school and find her son there. 7. When Maurice returns home, he will be pleased. 8. He will show his mother the prize he has received. 9. On seeing the prize, the happy mother will kiss her son. 10. When Charles is ready to go to school, he can accompany his brother.

FRENCH READER FOR BEGINNERS

DEUXIÈME PARTIE

28. La triste princesse

La princesse Ida était une charmante petite princesse. Elle avait de grands yeux bleus et de beaux cheveux blonds. Le roi, son père, l'aimait beaucoup, mais il n'était pas heureux.

La petite princesse était toujours malade et à cause de 5 cela elle était toujours très triste et ne chantait ni ne jouait jamais.

Le roi dit un jour au médecin: « Ne pouvez-vous pas guérir la princesse? »

« Si la princesse pouvait rire une seule fois, » dit le 10 médecin, « elle serait guérie. » Mais les jours passaient et la princesse ne riait pas, elle restait toujours triste.

Près du palais du roi demeurait une vieille femme. La vieille femme avait un fils, qui s'appelait Jacques. Il restait toute la journée assis sur un banc devant la 15 maison sans rien faire, et à cause de cela on l'appelait Jacques-le-paresseux.

Jacques et sa mère étaient très pauvres.

Un jour la vieille femme dit à son fils: « Jacques, il faut vous décider à travailler, nous sommes trop pauvres. » 20

Jacques répondit: « Oui, mère, je vais aller travailler. » Et il alla chez un paysan et lui dit: « Je voudrais du travail. »

« Très bien, » dit le paysan, « vous pouvez travailler ici, et je vous donnerai un franc par jour. » 25

Jacques travailla une journée entière et le paysan lui donna un franc. Jacques partit alors pour rentrer à la maison.   Mais en passant sur un pont il laissa tomber l'argent dans la rivière.

« Maladroit, » lui dit sa mère, « pourquoi n'avez-vous pas mis l'argent dans votre poche ? »

5   « Je le ferai demain, mère, » dit Jacques.

Puis il retourna chez le paysan et dit: « Je voudrais bien travailler encore. »

« Bien, » dit le paysan, « je vous donnerai un litre de lait. »   Et le soir il donna à Jacques un litre de lait.

10   Jacques mit le litre de lait dans sa poche, mais le lait coula de la bouteille et quand il arriva à la maison, la bouteille était vide.

« Décidément, vous êtes un sot, » dit la mère, « pourquoi n'avez-vous pas apporté la bouteille à la main ? »

15   « Je le ferai demain, mère, » dit Jacques.

QUESTIONNAIRE XXVIII

1. Comment s'appelle la petite princesse ?
2. Décrivez-la.
3. Pourquoi est-elle toujours triste ?
4. Que demande son père au médecin ?
5. Que répond celui-ci ?
6. Le médecin peut-il guérir la princesse malade ?
7. Qui demeure près du palais ?
8. Comment s'appelle son fils ?
9. Travaille-t-il bien ?
10. Pourquoi sa mère lui dit-elle de travailler ?
11. Est-il prêt à travailler ?
12. Chez qui va-t-il d'abord ?
13. Combien le paysan lui donne-t-il ?
14. Comment perd-il sa paye ?
15. Qu'est-ce que sa mère lui conseille de faire ?
16. Que reçoit-il le lendemain soir ?
17. Suit-il le conseil de sa mère ?
18. Est-elle contente de lui ?
19. Que pensez-vous de Jacques ?

EXERCICE 28

A. *Idiotismes:* Toute la journée; se décider à.

B. *Étudiez l'imparfait du verbe* donner.

C. *Conjuguez:* 1. J'étais malade. 2. Je n'avais pas d'argent. 3. Je ne vendais pas mes pommes. 4. Je savais cela. 5. Est-ce que je lisais ma lettre?

D. *Mettez les phrases suivantes à l'imparfait:*

1. Il va souvent chez le boulanger. 2. La vieille dame est assise dans sa chambre. 3. Le petit garçon cherche des fraises. 4. Les pommes de terre sont sur la table. 5. Nous allons dormir. 6. Perrette réfléchit. 7. Le chat descend de l'arbre. 8. Coupez-vous le blé? 9. Les enfants regardent Bruno. 10. Je saisis le chat.

E. *Lisez la première partie de cette histoire au présent.*

F. *Traduisez en français:*

1. They were sick.
2. We were laughing.
3. She was finishing the letter.
4. The king was reading a book.
5. Jacques and his mother were working in the garden.
6. Were you sleeping?
7. Was the cake running?
8. What were you doing?
9. Did they believe that?
10. What was his name?
11. We knew it.
12. The two sisters were giving them a present.

G. *Écrivez en français:* 1. This charming little princess was called Ida. 2. Her eyes were blue and her hair was blond. 3. Her father was unhappy, because she was always sick. 4. The doctor could not cure the princess. 5. There was an old woman who lived near the king's palace. 6. Her lazy son never worked an entire day. 7. He was called Lazy James, because he did nothing. 8. He could not decide to work. 9. He often let his money fall into the river. 10. When he arrived at his home, he never brought any money.

29. La triste princesse (suite)

Il alla alors chez un boulanger et dit: « Je désire du travail. »

« Bien, il y a du travail pour vous, » dit le boulanger et le soir il donna à Jacques un gros chat noir.

5 Jacques revint à la maison, portant le chat sur son bras, mais le chat l'égratigna et finit par s'échapper.

« Pourquoi n'avez-vous pas apporté le chat dans un panier ? » dit la mère.

« Je le ferai demain, mère, » dit Jacques.

10 Puis il retourna chez le boulanger et travailla de nouveau. Le soir le boulanger lui donna un gros morceau de viande. Jacques mit la viande dans un panier et revint à la maison. Mais un chien aperçut le morceau de viande, le saisit dans sa gueule et l'emporta pour le manger.

15 « Pourquoi n'avez-vous pas apporté le morceau de viande sur votre dos ? » dit la mère.

« Je le ferai demain, mère, » répondit Jacques.

Jacques retourna chez le boulanger et se remit à travailler.

20 « Jacques, voilà un petit âne pour vous, » dit le boulanger, « mais l'âne est très entêté et ne veut pas marcher. »

« Je peux l'emporter sur mon dos, » dit Jacques. Et il prit l'âne sur son dos et s'en alla ainsi à la maison.

La princesse Ida était assise à la fenêtre du palais.
Elle vit Jacques avec l'âne sur le dos.

« Ah, » dit-elle à son père, « voyez ce jeune garçon
qui porte un âne sur le dos, c'est bien drôle, » et elle
éclata de rire.   5

« La princesse rit, la princesse rit, » s'écria le médecin.

Le roi ouvrit la fenêtre et dit à Jacques: « Venez ici. »
Et Jacques entra dans le palais avec l'âne sur le dos.
La princesse rit encore plus fort.

« Je suis très content, » dit le roi, « ma petite fille est 10
guérie; elle vous a vu portant l'âne sur votre dos et elle
a ri. »

Il donna beaucoup d'or à Jacques. Et depuis ce jour
Jacques et sa mère demeurent dans une jolie maison et
Jacques reste assis toute la journée devant la porte sans 15
jamais travailler.

QUESTIONNAIRE XXIX

1. Que dit Jacques au boulanger?
2. Que reçoit-il le soir du boulanger?
3. Comment le chat s'échappe-t-il?
4. Que lui demande sa mère?
5. Que met Jacques dans le panier?
6. Comment perd-il sa viande?
7. Comment le boulanger décrit-il l'âne?
8. Qu'est-ce que Jacques porte sur le dos?
9. Qui l'aperçoit?
10. Que fait-elle?
11. Que fait le roi?
12. Pourquoi est-il content?
13. Quelle est la récompense de Jacques?
14. Qu'est-ce que Jacques fait maintenant?
15. La princesse s'appelait-elle Louise?
16. Chantait-elle bien?
17. Jacques et sa mère étaient-ils riches?
18. La princesse était-elle joyeuse?
19. Étiez-vous triste quand vous lisiez cette histoire?

EXERCICE 29

A. *Idiotismes:* Finir par (*by*) + *infinitif;* se remettre à + *infinitif;* tout à l'heure.

B. *Conjuguez:* 1. Je répondais à sa lettre. 2. Je ne voulais pas y aller. 3. J'allais me coucher. 4. Je ne croyais pas cela. 5. Est-ce que je nourrissais mes poussins?

C. *Mettez les phrases suivantes à l'imparfait:*

1. Les autres doigts ne sont pas fiers.
2. Hélène se réveille.
3. Le gâteau s'approche du renard.
4. Le loup s'en va.
5. Henri suit le médecin.
6. Les trois princesses lisent.
7. Les alouettes ne peuvent pas encore voler.
8. Nous vendons nos fraises.
9. « Merci! » répète-t-elle.
10. Le chat va descendre.
11. Nous sommes tristes.

D. *Mettez les phrases précédentes à la forme négative.*

E. *Remplacez l'imparfait par le présent, le passé indéfini et le futur:* 1. Cette vache fournissait de bon lait. 2. Nous battions le loup. 3. Le petit garçon entrait dans l'auberge. 4. Le sac était vide. 5. Bruno n'avait qu'un gâteau. 6. Hélène venait dans le champ. 7. La maîtresse faisait un lit avec deux chaises. 8. Charles voyait souvent le perroquet. 9. Yvonne et Mary mettaient l'oiseau dans la cage. 10. Vous n'ouvriez pas la porte du fourneau.

F. *Racontez la deuxième partie de cette histoire au présent.*

G. *Traduisez:* 1. James often told the baker that he desired some work. 2. One day he was returning home carrying a large black cat. 3. The baker did not give him a large piece of meat every day. 4. James used to bring home pieces of meat on his back. 5. The donkey was stubborn and did not want to walk. 6. The princess was looking at James. 7. While speaking with her father, she was laughing. 8. The king was happy, because his daughter was cured. 9. The old woman and her son lived in a pretty little house. 10. James did not cure a princess thus every day.

30. Pourquoi le pic noir a un bonnet rouge

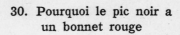

UNE vieille femme demeurait seule dans une petite maison. Elle était très petite. Elle portait une robe noire et un grand tablier blanc et elle avait toujours sur sa tête un 5 petit bonnet rouge.

Un jour la vieille femme dit: « Je n'ai pas de pain à la maison, je vais cuire du pain et en même temps je cuirai un gâteau. »

Elle alluma un grand feu dans le fourneau et fit cuire 10 quatre pains et deux beaux gâteaux.

Comme elle mettait les deux gâteaux sur la table, la porte de la maison s'ouvrit et un vieil homme entra dans la chambre. Il vit les deux gâteaux sur la table et dit:

« Bonne femme, je suis pauvre et j'ai grand'faim. 15 Si vous me donniez un de ces gâteaux, je vous récompenserais. Vous n'aurez qu'à faire un souhait et immédiatement vos désirs seront satisfaits. »

La vieille femme se dit: « Ces gâteaux sont trop grands; je vais en faire un plus petit et le lui donnerai. » Elle 20 fit donc un tout petit gâteau et le mit dans le fourneau. Quelque temps après elle ouvrit la porte du fourneau et elle y trouva un très grand gâteau.

« Celui-ci est encore trop grand pour l'homme, » dit-elle, « il rirait de moi, si je lui donnais un si grand gâteau. » 25 Elle fit de nouveau un tout petit gâteau et elle trouva encore un grand gâteau dans le fourneau.

« Je n'y comprends rien, » dit-elle, « mais ce gâteau est encore trop grand. Si je le donnais à l'homme, il ne pourrait pas le manger tout entier. » Au lieu du 30 gâteau elle donna à l'homme un morceau de pain, en disant: « Les gâteaux sont tous trop grands. Voilà un morceau de pain. Maintenant allez-vous-en. »

Le vieil homme refusa le pain. Il secoua la tête et s'en alla tristement.

5   La vieille femme se sentit alors bien malheureuse. Elle se dit: « Si j'étais un oiseau, je volerais après le pauvre homme et lui donnerais un grand gâteau. »

Et aussitôt la voilà changée en oiseau. Elle porte toujours la même robe noire et le grand tablier blanc 10 ainsi que le petit bonnet rouge sur la tête.

Elle est devenue le pic noir qui demeure dans la forêt et qui mange des vers, la pauvre vieille femme.

QUESTIONNAIRE XXX

1. Qu'est-ce que c'est qu'un pic noir?
2. Où avez-vous vu un pic noir?
3. De quelle couleur était-il?
4. De qui parlons-nous au commencement de notre histoire?
5. Que faisait-elle ce jour-là?
6. Qui est entré dans sa maison?
7. Qu'est-ce qu'il a vu?
8. Qu'a-t-il demandé à la femme?
9. Lui a-t-elle donné ce qu'il a demandé?
10. Qu'est-ce qu'elle lui a donné?
11. Le vieil homme était-il content?
12. Comment le savez-vous?
13. La vieille femme était-elle contrariée?
14. Qu'a-t-elle dit?
15. Qui l'a changée en oiseau?
16. Où demeure-t-elle maintenant?
17. A-t-elle de bonnes choses à manger?

EXERCICE 30

A. *Idiotismes:* Quelque temps après; au lieu de; je n'y comprends rien.

B. *Étudiez le conditionnel.*

C. *Conjuguez:* 1. Je lui donnerais un gâteau.   2. J'ai dit que je ferais un souhait. 3. Si j'étais un pic noir, je demeurerais dans la forêt. 4. Je serais content, si mon frère y venait. 5. Si je voyais Jacques, je rirais de lui.

D. *Employez en phrases le conditionnel des verbes:*

tenir   mettre
rire   dormir   prendre

E. *Mettez vos phrases à la forme interrogative.*

F. *Lisez cette histoire au présent.*

G. *Traduisez en français:*

1. I should run after the cake.
2. We should put the cake in the stove.
3. My friends would go home.
4. You would not make the bread.
5. Charles would not perceive the bird.
6. They would not open the door.
7. We should not see our mother.
8. Should you not choose this story?
9. The monkeys would come from the forest.
10. You would open the window.

H. *Écrivez en français:* 1. Would you like to hear the story of the woodpecker? 2. If you would listen, I should tell it to you. 3. An old woman had no bread and she kept saying she would make some bread and cakes. 4. If the door of the house opened, she would see an old man enter the room. 5. If she should make a wish, at once her desires would be satisfied. 6. She kept thinking that these cakes would be too large. 7. If she made a little cake again, she would find a large cake in the stove. 8. The old man would refuse a piece of bread, if she gave it to him instead of a cake. 9. If the old man should go away sadly, you would feel unhappy. 10. You would become a woodpecker and would live in the forest.

31. Le petit Jacques et l'arbre aux bonbons

Trois petits garçons jouaient un jour devant l'école dans un petit village.

« C'est demain Noël, » dit Jacques.

« Et nous aurons un arbre de Noël dans la salle de classe, » dit Henri.

« Et on nous donnera aussi des cornets de bonbons, » ajouta Max.

5 « Oui, mais les cornets sont toujours si petits, » dit Jacques, « je voudrais bien être le maître, il peut avoir autant de cornets qu'il veut. »

A ce moment le maître sortait de l'école.

« Que dites-vous, mon enfant ? » demanda-t-il.

10 « Jacques croit que vous pouvez avoir autant de cornets que vous voulez et que vos bonbons sont très bons, » dit Max.

« Non, » dit le maître, « je ne peux pas avoir autant de cornets que je veux, je ne peux pas acheter les cor-
15 nets. Les cornets poussent sur l'arbre aux bonbons. »

« Sur l'arbre aux bonbons ? Je n'ai jamais vu l'arbre aux bonbons. Est-ce que l'arbre se trouve dans votre jardin, monsieur ? »

« Oui, il se trouve au bout du jardin derrière l'école,
20 c'est un tout petit arbre. Ne l'avez-vous pas vu, Jacques ? »

« Oui, mais le petit arbre est mort. »

« Mais une fois par an, la veille de Noël, l'arbre porte des fruits. La veille de Noël à minuit les cornets sont
25 suspendus à l'arbre et alors je vais dans le jardin les cueillir, et le jour de Noël je les distribue aux petits garçons et aux petites filles de l'école. »

« Ne puis-je pas voir l'arbre, monsieur ? » demanda Jacques.

30 « Non, » dit le maître, « allez-vous-en maintenant à la maison et demain vous aurez votre cornet. »

Et Henri, Max et Jacques s'en allèrent à la maison.

Mais Jacques se disait toujours: « Un cornet est si petit, il m'en faudrait deux. » A onze heures du soir il
35 sortit tout doucement de la maison et alla dans le jardin

derrière l'école.   Là il s'assit derrière un grand arbre et
attendit.

Enfin la porte de l'école s'ouvrit et le maître sortit.
Il avait une lanterne à la main droite et un grand panier
à la main gauche.   5

Il alla au petit arbre au bout du jardin et dit:

Arbre des nuits, arbre des nuits,
Donnez-moi donc de vos beaux fruits.

Et aussitôt le petit arbre resplendit de
lumières et à ses branches apparurent 10
beaucoup de petits cornets de bonbons.

Arbre des nuits, arbre des nuits,
Donnez-moi donc de vos beaux fruits,

répéta le maître et une grande
quantité de cornets tombèrent de 15
l'arbre à terre.

Le maître
remplit le pa-
nier de cornets.

« Merci, pe- 20
tit arbre, mer-
ci, » dit-il et il
rapporta le pa-
nier et la lan-
terne chez lui. 25

Jacques s'approcha alors de l'arbre.

Arbre des nuits, arbre des nuits,
Donnez-moi donc de vos beaux fruits,

dit-il et un cornet tomba à terre.

Jacques le saisit et courut vite à la maison.   Il ouvrit 30
doucement la porte de la maison et entra dans sa chambre.
Puis il ouvrit le cornet, mais au lieu de bonbons il y
trouva un petit bâton.

Le bâton sauta du cornet et en un instant devint un gros bâton qui donna au petit Jacques une bonne correction.

« Voilà votre cadeau de Noël, Jacques, » dit le bâton et il recommença à le battre. Jacques sauta vite dans 5 son lit, mais le bâton sauta aussi dans le lit où il continua à le battre.

QUESTIONNAIRE XXXI

1. Nommez les trois petits garçons de cette histoire.
2. Que faisaient-ils?
3. Que voudraient-ils bien avoir?
4. Qui Jacques voudrait-il être?
5. D'où viennent les cornets de bonbons?
6. Que fait l'arbre mort la veille de Noël?
7. Le maître permet-il à Jacques de le voir?
8. Que fait Jacques ce soir-là?
9. Qu'est-ce qui arrive?
10. Que portait le maître?
11. Qu'est-ce qu'il a dit au petit arbre?
12. Quel est l'effet de ses paroles?
13. Qu'est-ce qu'il a fait des cornets?
14. Jacques a-t-il reçu un cornet?
15. Avait-il peur de ses parents?
16. Son cornet était-il rempli de bonbons?
17. Qu'est-ce que le bâton a fait?
18. Comment Jacques a-t-il essayé de s'échapper?
19. Avez-vous jamais fait ce que votre maître vous a dit de ne pas faire?
20. Avez-vous reçu alors un cadeau de Noël comme celui de Jacques?

EXERCICE 31

A. *Idiotismes:* Voudrais bien; suspendre à; l'arbre aux bonbons; resplendir de.

B. *Étudiez le passé défini des verbes:*

avoir		être
donner	vendre	finir

C. *Conjuguez:* 1. J'eus l'argent dans ma poche.   2. Je fus guérie.   3. Est-ce que je le lui demandai?   4. Je ne réfléchis pas.   5. Je ne frappai pas à la porte.

D. *Lisez les phrases suivantes au présent, au futur et au conditionnel:* 1. Les petits garçons jouèrent toute la journée. 2. Max ajouta, « Merci, monsieur! »   3. Le maître remplit le panier.   4. Le loup ne répondit pas.

E. *Mettez les phrases suivantes au passé indéfini et à l'imparfait:* 1. Le maître rapporta le panier.   2. Les élèves finirent la leçon.   3. Les chats descendirent de l'arbre.   4. L'aubergiste lui vola le mouton.

F. *Racontez la première partie de cette histoire au présent.*

G. *Traduisez en français:*

1. Bruno brought back a cake.
2. The friend entered the room.
3. The little boys found a dog.
4. The wind heard the child.
5. We thought of (à) you.
6. The farmers chose James.
7. They ate the bread.
8. Helen went walking in the forest.
9. The princesses played in the garden.
10. The little bird fell on the grass.

H. *Écrivez en français:* 1. Henry said that they should have a Christmas tree in the classroom. 2. The sacks of candy were always so small.   3. Max added that the master could have as many sacks as he wished.   4. On Christmas Eve the sacks were suspended from the candy tree.   5. The master distributed the candy to the little children of the school.   6. James said he would like to be the master.   7. He entered the garden behind the house.   8. The master was carrying a lantern and a large basket.   9. The master and James asked the candy tree for many sacks of candy.   10. The tree gave James a large stick, which began to beat him.

32. Le petit Jacques et l'arbre aux bonbons (suite)

Le lendemain matin quand Jacques se réveilla, le bâton était là sur la chaise près du lit.

« Je ne veux pas de ce méchant bâton dans ma

chambre, » dit Jacques, et il ouvrit la fenêtre et jeta
le bâton dans le jardin.

Mais en un instant le bâton fut de nouveau dans la
chambre et sauta dans la poche de Jacques.

5   « Je veux rester dans votre poche, Jacques, » dit le
bâton et maintenant le bâton restait toujours près de
Jacques.

Souvent le petit garçon voulait voler une pomme ou
un morceau de sucre, mais il entendait le bâton dans
10 sa poche lui dire: « Non, Jacques, non, » et Jacques
n'osait pas prendre la pomme ou le morceau de sucre.

Son père et sa mère se disaient:

« Jacques est maintenant un bon petit garçon. »

Mais Jacques n'était pas heureux. Jour et nuit il
15 pensait:

« Je voudrais bien me débarrasser de ce méchant
bâton qui est dans ma poche. »

Un matin il prit le bâton de sa poche et le jeta dans
l'étang. Il se trouva bien content et joua et rit toute
20 la journée.

Mais quand Jacques fut couché, il entendit une voix
à la fenêtre qui disait: « Ouvrez, Jacques. » Lentement
il ouvrit la fenêtre et le bâton sauta dans la chambre et
se mit à le battre.

25   « Vous m'avez jeté dans l'étang, » dit-il, « mais me
voilà revenu. »

Le lendemain matin Jacques dit encore:

« Je ne veux plus de ce méchant bâton dans ma poche, »
et il ouvrit le poêle et jeta le bâton dans le feu.

30   « Maintenant le bâton ne peut certainement pas
revenir, » dit Jacques, et il dansa et chanta toute la
journée.

« Je voudrais bien avoir une pomme, » se dit-il, et il
alla dans un jardin, où il y avait un gros pommier. Il
35 avait déjà une jolie pomme rouge dans sa main, quand

il entendit une voix derrière lui: « Non, Jacques, non, » et le bâton le frappa sur les doigts et fit tomber la pomme dans l'herbe.

« Ah, Jacques, méchant petit garçon, vous croyiez que j'étais brûlé et que je ne pouvais pas revenir, et que vous 5 pouviez voler, » dit le bâton et il le battit au point qu'il lui fallut rester trois jours au lit.

L'été passa. Le père et la mère se disaient toujours: « Jacques est vraiment un excellent enfant maintenant. » 10

Jacques pensait toujours au bâton dans sa poche et ne disait rien.

L'automne arriva, puis l'hiver.

La veille de Noël, Jacques était couché dans son lit. Il ne pouvait pas s'endormir, il pensait à l'arbre aux bon- 15 bons.

Il se dit: « Non, je ne veux plus voler de bonbons; c'est assez d'un bâton, je n'en veux pas deux. »

Minuit sonna. « Ouvrez la fenêtre, Jacques, je veux m'en aller, » dit le bâton. 20

« Vous voulez vous en aller? » dit Jacques.

« Oui, je veux m'en aller, » dit le bâton, « vous êtes maintenant très sage et je peux m'en aller. » Et le bâton sauta par la fenêtre et ne revint jamais.

Le lendemain matin Jacques trouva un grand cornet 25 de bonbons sur la chaise près de son lit. Sous le cornet se trouvait un morceau de papier sur lequel ces mots étaient écrits:

Une conscience pure est un bon oreiller.

QUESTIONNAIRE XXXII

1. Où était le bâton le lendemain matin?
2. Jacques était-il content de le voir?
3. Qu'est-ce qu'il se décide à faire?
4. Comment s'en débarrasse-t-il?

5. Pourquoi n'a-t-il pas volé la pomme et le sucre?
6. Ses parents étaient-ils contents de lui?
7. Que fait-il du bâton la deuxième fois?
8. Celui-ci revient-il?
9. Pourquoi Jacques a-t-il laissé tomber la pomme?
10. Quelles saisons ont passé?
11. A quoi Jacques pensait-il toujours?
12. Quelle est sa résolution?
13. Que lui dit le bâton?
14. Pourquoi le bâton s'en est-il allé?
15. Qu'est-ce que Jacques a reçu le matin de Noël?
16. Quel proverbe a-t-on écrit sur le morceau de papier?
17. Avez-vous toujours un bon oreiller?
18. Dormez-vous bien, quand vous n'avez pas préparé vos leçons pour le lendemain?

EXERCICE 32

A. *Idiotismes:* Se débarrasser de; penser à.

B. *Observez les temps primitifs: l'infinitif présent, le participe présent, le participe passé, le présent de l'indicatif, le passé défini.*

C. *Écrivez les temps primitifs des verbes suivants:*

acheter	réussir	essayer
attendre	répondre	étendre
manger	commencer	saisir
	préférer	

D. *Remplacez l'infinitif entre parenthèses par la forme convenable du verbe:* 1. L'homme (traverser) la forêt hier. 2. La vieille femme a (éclater) de rire. 3. Le vieillard (dire) au petit garçon: « (Avoir) la bonté de me donner vos fraises. » 4. Demain le chat (finir) par s'échapper. 5. Si Maurice (arriver) en retard, il ne (remporter) pas le prix. 6. Le cuisinier (entendre) ce qu'elles disent. 7. Je vous (remercier), si vous me (donner) un gâteau. 8. A ce moment ils le (perdre) de vue. 9. Les chevreaux n' (essayer) pas d'ouvrir la porte. 10. Le médecin (s'approcher) de la princesse malade, qui (s'appeler) Ida.

E. *Racontez la fin de l'histoire au présent.*

F. *Traduisez* 1. When I awoke the next morning, I found the stick on my chair. 2. I opened the window and threw the naughty stick in the garden. 3. I dared not take the piece of sugar, because the stick was again in my room. 4. My father and mother said I was a good boy. 5. But I thought only of the stick in my pocket. 6. If I threw the stick into the stove, I should get rid of it. 7. But when I was picking a pretty red apple, the stick struck me on the fingers. 8. I had to remain in bed three days, because the stick had beaten me. 9. On Christmas Eve I no longer wished to steal candy. 10. I slept well during the night, because I had a pure conscience.

33. La vieille femme et l'oiseau

Il y avait une fois une vieille femme qui habitait dans une pauvre petite cabane près d'une grande forêt.

Un jour la vieille femme alla dans la forêt. Sous un arbre dans l'herbe elle vit un petit oiseau. L'oiseau était tombé du nid et s'était cassé la patte.   5

« Pauvre petit oiseau, maintenant vous ne pouvez plus trouver à manger, » dit la femme et elle prit l'oiseau et l'emporta chez elle. Là elle le mit dans un petit panier et lui donna à manger et à boire.

Bientôt la patte malade se trouva guérie. Un jour 10 l'oiseau dit: « Maintenant je suis guéri, je voudrais bien retourner dans la forêt. » La vieille femme reporta alors l'oiseau dans son nid dans la forêt. Celui-ci tint à la récompenser.

« Vous avez été très bonne pour moi, » dit l'oiseau. 15 « Que voulez-vous ? Dites-le-moi et je vous le donnerai. »

« Eh bien, » dit la femme, « je voudrais bien avoir une petite maison, ma cabane n'est pas jolie et elle est très froide en hiver. »   20

« Bien, » dit l'oiseau, « retournez chez vous et vous trouverez une maison. »

Et la vieille femme revint chez elle et trouva une jolie petite maison.   Une semaine après la femme dit:

« La maison est neuve, mais les chaises et les tables et tout ce qu'il y a dedans est vieux, il me faut des meubles
5 neufs. »

Elle retourna alors à la forêt.

« Oiseau, oiseau, où êtes-vous? » cria-t-elle.

« Me voilà; que voulez-vous? » dit l'oiseau.

« Donnez-moi des tables et des chaises neuves pour
10 ma maison, je vous prie. »

« Retournez chez vous, » dit l'oiseau, « vous y trouverez ce que vous désirez. »

La vieille femme revint à la maison et elle y trouva tout un mobilier neuf.

15   Pendant une semaine la vieille femme resta très satisfaite, puis elle se dit:

« Je suis vieille et le travail me fatigue beaucoup; il me faudrait une petite domestique. »   Et elle retourna à la forêt et cria:

20   « Oiseau, oiseau, où êtes-vous? »

« Me voilà, » dit l'oiseau, « que voulez-vous maintenant? »

« Je voudrais une petite domestique, » dit la femme.

« Retournez chez vous, » dit l'oiseau, « et vous l'y
25 trouverez. »

La vieille femme revint à la maison et une petite domestique avec un tablier blanc ouvrit la porte.

QUESTIONNAIRE XXXIII

1. De qui parlons-nous dans cette histoire?
2. Racontez son aventure dans la forêt.
3. Comment montra-t-elle qu'elle avait bon cœur?
4. Que lui dit l'oiseau un jour?
5. La remercia-t-il?
6. Quelle promesse lui a-t-elle fait?
7. Que désirait-elle?

8. Fut-elle longtemps satisfaite?
9. Qu'est-ce qu'elle demanda à l'oiseau la deuxième fois?
10. Que répondit l'oiseau?
11. Que trouva-t-elle à la maison?
12. Combien de temps resta-t-elle satisfaite?
13. Pourquoi voulait-elle une domestique?
14. L'oiseau la lui accorda-t-il?
15. Si vous rencontriez cet oiseau, quel souhait feriez-vous?

EXERCICE 33

A. *Étudiez les temps primitifs des verbes* aller, tenir, venir.

B. *Conjuguez:* 1. J'allai chez la grand'mère.   2. Je tins à la récompenser.   3. Je vins le voir.   4. J'allais chez moi. 5. Je viens de chez lui.

C. *Mettez les phrases suivantes au présent, au futur, et au conditionnel:* 1. Nous allâmes chez notre voisin.   2. La vieille femme vint chercher l'oiseau.   3. Ils tinrent l'argent dans la main.   4. Il alla au village.

D. *Mettez ces phrases au passé défini, au passé indéfini, et à l'imparfait:* 1. Je viens de chez nous.   2. Il tient à vous récompenser.   3. Les princesses vont dans le jardin.   4. Vous venez me voir.

E. *Mettez les phrases suivantes au pluriel:* 1. Le petit garçon joua derrière l'école.   2. Je voudrais avoir des bonbons. 3. Vous êtes allé dans le bois.   4. La pauvre princesse est guérie.   5. Elle s'en alla.   6. J'aperçois ma mère.   7. Je m'endors.   8. Il y entra.   9. Vint-il?   10. Elle remplit.

F. *Racontez la première partie de l'histoire au présent.*

G. *Traduisez en français:*

1. The king went to his garden.
2. Who insisted on rewarding him?
3. The little boy held the book.
4. The princesses came to the city.
5. The monkeys went to the city.
6. Louise came to school.

H. *Écrivez en français:* 1. Once upon a time there were two old women who lived near a forest.   2. One day they went to the forest to look for strawberries. 3. In the grass they found a little bird that had fallen from its nest. 4. They carried the poor bird home with them. 5. When the bird was large enough, they carried it back to the forest. 6. The bird told them to make a wish and it would give them what they desired. 7. One of the women said she would like to have a little house. 8. The other woman said she wanted some new furniture. 9. The two old women returned home and found the house and the furniture. 10. They remained satisfied for a week, then they returned to the forest.

34. La vieille femme et l'oiseau (suite)

La semaine suivante la vieille femme alla trouver l'oiseau et dit:

« Je voudrais bien avoir un jardin. »

« Retournez chez vous, » dit l'oiseau, « vous aurez
5 votre jardin. » Elle retourna à la maison et y trouva un beau jardin.

Bientôt la vieille femme retourna encore à la forêt.

« Je voudrais bien avoir un cheval et une voiture, » dit-elle.

10 « Retournez chez vous, vous l'y trouverez, » dit l'oiseau. Et à l'entrée du jardin la femme trouva une petite voiture et un beau cheval.

Un jour la femme dit: « Je suis toute seule ici dans ma belle maison, je voudrais avoir un petit-fils, qui
15 m'appelle grand'mère. »

Elle alla alors retrouver l'oiseau et dit: « Je voudrais avoir un petit-fils. »

« Retournez chez vous, il y est déjà, » dit l'oiseau.

Et la vieille femme revint alors à la maison et y trouva
20 un beau petit garçon avec les cheveux bouclés.

« Chère grand'mère, » cria le petit garçon et il embrassa la vieille femme.

« Maintenant je suis heureuse, je n'irai plus rien demander à l'oiseau, j'ai tout ce que je désire, » dit la vieille femme.

Mais elle n'était pas heureuse, non, elle était bien malheureuse, car son petit-fils était un petit garçon très méchant. 5

La vieille grand'mère lui donnait tout ce qu'il voulait, mais il pleurait sans cesse et souvent il battait la pauvre vieille femme.

Un soir il aperçut la lune.

« Ah, comme c'est joli, » s'écria-t-il, « je veux la lune, 10 grand'mère. »

« Mais vous ne pouvez pas avoir la lune, » lui répondit sa grand'mère, « je ne peux pas vous la donner. »

« Si, je veux la lune, je veux la lune, » dit-il.

La vieille femme voulut encore le satisfaire.   « Alors 15 il me faut retourner trouver l'oiseau, » dit-elle.   Et elle courut à la forêt et cria:

« Oiseau, oiseau, où êtes-vous ? »

« Me voilà, » dit l'oiseau; « vous voilà encore ?   Que voulez-vous maintenant ? » 20

« Ah, je n'ose pas vous le dire, » dit la femme, « mais mon petit-fils voudrait la lune. »

« Retournez chez vous, » cria l'oiseau d'un ton sévère. Et la vieille femme effrayée revint vite à la maison.   Mais hélas ! que vit-elle ?   L'enfant, la voiture, le jardin, la 25 domestique et la maison avaient disparu.   Seule la cabane se trouvait là de nouveau et la vieille femme y demeure toujours.

Le mieux est l'ennemi du bien.
« Let good enough alone. »

QUESTIONNAIRE XXXIV

1 Quand la vieille femme alla-t-elle trouver l'oiseau ?
2 Que voulait-elle cette fois ?
3 Est-ce que l'oiseau le lui donna ?

4. Resta-t-elle longtemps satisfaite?
5. Que désira-t-elle ensuite?
6. Décrivez son petit-fils.
7. Quelle fut la résolution de la vieille femme?
8. Le petit-fils était-il bon pour elle?
9. Que désirait-il?
10. Comment la grand'mère essaya-t-elle de le satisfaire?
11. Avait-elle peur de dire à l'oiseau ce que son petit-fils voulait?
12. L'oiseau était-il content d'elle?
13. A-t-il donné la lune au petit-fils?
14. Que trouva la vieille femme chez elle?
15. Êtes-vous toujours content de ce que vous avez?
16. Que voudriez-vous de plus?

EXERCICE 34

A. *Étudiez les temps primitifs des verbes* apercevoir, courir, croire, lire, pouvoir, savoir, vouloir.

B. *Conjuguez:* 1. Je l'aperçus.   2. Je ne courus pas après le gâteau.   3. Je ne pus pas le croire.   4. Est-ce que je ne lus pas le livre?   5. Je voulus retourner à la maison.

C. *Mettez les phrases suivantes au futur, au passé défini et à l'imparfait:* 1. Je veux la lune.   2. Je sais ce que vous désirez.   3. Il a aperçu la grande ville.   4. Je ne le croirais pas.   5. Le roi lit ses lettres.

D. *Quel est l'infinitif des verbes suivants:* serait, riait, ferai, mit, coula, vu, eut, disant, changée, aurons, resplendit, jette, prit, revint, fut, court, aperçut, cria, irai, allâtes.

E. *Racontez la deuxième partie de l'histoire au présent.*

F. *Traduisez en français:*

1. We knew it.
2. Who believed that?
3. Émile read the letter.
4. Did she perceive the nest?
5. They could not see their mother.
6. The pig and the cow ran.
7. She wished to see him.

G. *Écrivez en français:* 1. The next week we went to find the bird.   2. We told the bird we should like to have a garden.

3. He told us to return home and that we should have our garden. 4. We returned home and found a fine garden. 5. Soon we asked the bird for a carriage and a horse. 6. He said he would give us a grandson. 7. I told my sister that I had all that I could desire. 8. If I didn't give my grandson everything that he wished, he would beat me. 9. If he asks for the moon, I shall not be able to satisfy him. 10. When we return home, we shall find that everything has disappeared.

35. Le jeune berger

Un matin un pauvre berger était assis sous un arbre près d'un village et gardait ses moutons. Il vit apparaître un jeune garçon qui était très bien habillé. C'était le petit prince, le fils unique du roi de ce pays, mais le pauvre berger ne le savait pas, car il ne l'avait jamais vu. 5

« Bonjour, » lui dit le prince, « pouvez-vous me dire si l'on peut trouver un nid d'oiseau dans ce bois ? »

« Oh, oui, certainement, » dit le jeune berger, « il y en a beaucoup. »

« Ne pouvez-vous pas m'en montrer un ? » demanda le 10 prince.

« Je sais où il y en a un très joli, il est fait de paille et de brins d'herbe, et dedans il y a cinq jolis œufs aussi bleus que le ciel. »

« Oh, je suis bien content, » dit le prince, « venez 15 donc me montrer ce nid, je veux le voir. »

« Non, je ne peux pas vous le montrer, » dit le jeune berger.

Le précepteur du prince avait entendu leur conversation. Il s'approcha et dit au jeune berger: 20

« Vous n'êtes pas très poli, mon petit ami, ce petit garçon n'a jamais vu de nid d'oiseau et voudrait bien en voir un. Allez donc avec lui et montrez-lui le nid. Il ne veut que voir le nid, il ne prendra pas les œufs. »

Le jeune berger répondit: « Je le regrette, mais je ne peux pas lui montrer le nid. »

« Ce n'est pas très bien à vous, » dit le précepteur, « vous pouvez rendre le prince heureux et vous ne le
5 voulez pas. »

« Est-ce le prince ? » dit le berger, qui ouvrit de grands yeux et regarda le fils du roi.   « Je suis bien aise de voir le prince, mais je ne peux pas lui montrer le nid. »

« Pourquoi ? » demanda le précepteur.

10   « J'ai un ami, il s'appelle Michel.   Il garde les chèvres sur la montagne.   Il m'a montré le nid et je lui ai promis de ne montrer le nid à personne. »

Alors le précepteur prit deux pièces d'or de sa poche et dit: « Montrez-nous le nid et je vous donnerai ces
15 deux pièces d'or, vous n'avez pas besoin de le dire à Michel. »

« Non, » dit le jeune berger, « j'ai promis à Michel de ne le montrer à personne, je ne le ferai pas. »

« Mais vous pouvez acheter beaucoup de choses avec
20 cet or, » dit le précepteur.

« Oui, » dit le jeune berger, « je le sais; mon père est pauvre et je voudrais bien avoir l'or.   Mais j'ai promis et je ne peux pas montrer le nid.   Allez-vous-en, je vous prie. »

25   « Vous êtes un brave garçon, » dit le précepteur, « allez maintenant trouver Michel.   Demandez-lui, si le prince pourrait voir le nid et donnez-lui cette pièce d'or de ma part. »

« Oui, je veux bien, » dit le jeune berger, « et cet après-
30 midi je reviendrai vous attendre ici. »

Et le prince et son précepteur s'en allèrent.   L'après-midi le prince revint dans le bois et trouva le jeune berger sous l'arbre.

« Maintenant vous pouvez voir le nid, » dit-il, « Michel
35 m'a dit que je pourrais vous le montrer, venez avec moi. »

Et le prince et son précepteur suivirent le jeune berger dans le bois.

Bientôt tous les trois arrivèrent près d'un petit arbre.

« Voyez-vous le petit oiseau jaune là-haut sur l'arbre ? » dit le jeune berger. « Son nid est sur l'arbre et la mère 5 est assise sur le nid. »

Au bruit de ses paroles la mère s'envola et le prince put voir le nid et les jolis œufs bleus. Il en parut fort

content. Avant de quitter le jeune berger, le précepteur lui donna deux pièces d'or en disant: 10

« Restez toujours honnête, comme vous vous êtes montré aujourd'hui, et vous serez toujours heureux. »

QUESTIONNAIRE XXXV

1. Qui sont les jeunes garçons de cette histoire ?
2. Que faisait le berger ?
3. Pourquoi le berger ne savait-il pas que c'était le prince ?
4. Qu'est-ce que le prince avait envie de voir ?
5. Décrivez le nid.
6. Le berger consentit-il à le montrer au prince ?
7. Que lui dit le précepteur du prince ?
8. Le berger veut-il rendre le prince heureux ?
9. Pourquoi ne le lui montre-t-il pas ?

10. Que lui offre le précepteur?

11. Le jeune garçon manque-t-il à la promesse qu'il a faite à Michel?

12. Quelle promesse fait-il au prince?

13. Qu'est-ce qui arriva l'après-midi?

14. Où était le nid de l'oiseau?

15. Que pensa le prince de ce nid?

16. Quelle récompense le précepteur donna-t-il au jeune berger?

17. Quel conseil lui donna-t-il?

18. Trouvez-vous votre maîtresse de français aussi généreuse que le précepteur du prince?

EXERCICE 35

A. *Étudiez les temps primitifs des verbes* dire, dormir, écrire, faire, mettre, ouvrir, prendre, suivre, rire, voir.

B. *Conjuguez:* 1. Je la vis.   2. J'ouvris la porte.   3. Est-ce que je dormis dans la salle de classe?   4. Je les suivis.   5. Je fis un bon dîner.

C. *Racontez cette histoire au passé.*

D. *Relisez « Bruno et les gâteaux » en remplaçant le présent de l'indicatif par les temps passés convenables.*

E. *Traduisez en français:*

1. Louise wrote to her cousin.
2. They followed my advice.
3. We made a promise.
4. Did he open the window?
5. The pupils laughed at Lisette.
6. You saw the king.
7. The old woman put the bread in the stove.
8. "Thanks!" said the little girls.
9. They slept.
10. Who took the basket?
11. The prince laughed.

F. *Écrivez en français:* 1. I was guarding my sheep one morning, when I saw a young boy appear, who was well dressed. 2. I did not know that it was the young prince.   3. The prince asked me whether I could show him a bird's nest.   4. I knew where there was a pretty nest.   5. The preceptor of the prince told me that the prince had never seen a bird's nest.   6. He told me to go with the prince and show him this nest.   7. My

friend had showed me the nest and I had promised not to show
it to anyone.   8. The preceptor promised to give me two gold
pieces if I showed the prince the nest.   9. I asked my friend
if the prince might see the nest.   10. In the afternoon the
prince followed me to the woods, where we saw the nest of
a pretty yellow bird.

36. Charlotte et les dix nains

Charlotte demeurait avec ses quatre frères et ses deux
sœurs dans une petite maison dans le bois.   Ils avaient
perdu leur mère, et leur père était très pauvre.   Charlotte,
bien qu'encore très jeune, faisait tout le travail de la
maison.   Elle était souvent très fatiguée, car les enfants 5
étaient petits et ne pouvaient pas l'aider beaucoup.

Un soir Charlotte s'était assise devant le feu et faisait
une robe pour sa petite sœur.

« Ah, » dit-elle, d'un ton découragé, « j'ai trop à faire,
je ne peux pas travailler assez vite.   Ah, si j'avais quatre 10
mains ou bien, si les fées voulaient m'aider, comme elles
aident si souvent les pauvres gens ! »

Tout à coup la porte s'ouvrit et une vieille femme entra
dans la chambre.   Elle était enveloppée dans un long
manteau noir et portait un grand panier au bras.   15

« Charlotte, » dit-elle, « vous êtes une jeune fille laborieuse et je vais vous aider, regardez ce que je vous
apporte. »   Elle déposa son panier sur le plancher et
aussitôt qu'elle l'eut ouvert, dix nains sortirent du panier.

« Ce sont vos petits serviteurs, » dit la vieille femme 20
à Charlotte, « et je vous assure que les petits hommes
sont de bons travailleurs et peuvent faire tout le travail
que vous leur donnerez à faire. »

« Au travail ! » cria-t-elle aux nains, et aussitôt les
cinq premiers se mirent à coudre la robe et les cinq 25
autres se mirent à faire le pain et en un clin d'œil ils
eurent fini tout le travail de la maison.

« Mais personne ne doit voir vos serviteurs. Étendez vos mains, » dit la vieille femme et Charlotte étendit ses mains.

« Cachez-vous, » dit la femme et les nains se cachèrent
5 dans les doigts de Charlotte.

« Maintenant vous avez un petit serviteur dans chaque doigt et vous pouvez travailler plus vite, » dit la vieille femme et là-dessus elle prit son panier et sortit. Charlotte aurait voulu la remercier, mais elle avait déjà
10 disparu.

Le lendemain matin Charlotte se leva de bonne heure. Elle pouvait travailler deux fois plus vite. Elle était bien heureuse et riait et chantait en faisant son travail.

« Charlotte, vous êtes très laborieuse, aucune jeune
15 fille du pays ne peut travailler aussi vite et aussi bien que vous, » lui dit son père un jour. Charlotte sourit et pensa:

« Il ne peut pas voir que j'ai dix bons petits serviteurs dans les doigts. »

QUESTIONNAIRE XXXVI

1. Combien de membres y avait-il dans la famille de Charlotte?

2. Pourquoi Charlotte faisait-elle tout le travail de la maison?

3. Pourquoi les autres enfants ne l'aidaient-ils pas?

4. Que faisait Charlotte un soir?

5. Comment savez-vous qu'elle était découragée?

6. Qu'est-ce qu'elle désirait?

7. Avait-elle raison de se souhaiter quatre mains?

8. Décrivez la vieille femme qui fit visite à Charlotte.

9. Que lui apporta-t-elle?

10. Que firent les nains?

11. Où se cachèrent-ils?

12. Charlotte remercia-t-elle la vieille femme de son aide?

13. Que trouva-t-elle le lendemain?

14. Comment montra-t-elle sa joie?
15. Que dit le père à propos de Charlotte?
16. Pourquoi sourit-elle?
17. Êtes-vous aussi laborieux que Charlotte?
18. Préférez-vous quatre mains, ou dix nains dans les doigts?

EXERCICE 36

A. *Étudiez les temps composés de l'indicatif conjugués avec* avoir: *le plus-que-parfait, le passé antérieur, le futur antérieur, le conditionnel antérieur.*

B. *Conjuguez:* 1. J'avais entendu ses paroles. 2. Quand j'eus fini ma lettre, je la lui donnai. 3. J'aurai réfléchi avant de sortir. 4. Je n'aurais pas été fatigué, si j'avais eu peu à faire.

C. *Mettez les phrases suivantes aux quatre temps composés précédents:* 1. J'ai ouvert la fenêtre. 2. Elle a perdu son argent. 3. Les fées ont aidé les pauvres gens. 4. Vous avez bien chanté.

D. *Relisez « La vieille dame et ses chats » au passé.*

E. *Charlotte raconte sa bonne fortune (au passé).*

F. *Traduisez en français:*

1. He would have said that.
2. We shall have seen him.
3. The cake had run.
4. When he had perceived his father.
5. You had held the bird.
6. I shall have taken the cake.
7. Would your brother have laughed?
8. If they had known that.
9. When the dwarfs had helped her.
10. We could have written (would have been able to write).
11. The old woman would have given the dwarfs to Charlotte.

G. *Écrivez en français:* 1. The seven children had lived in the forest. 2. They would not have been poor if their father had worked. 3. Charlotte would not have been so tired if she had not had so much (**tant de**) work. 4. If she had had four hands, she could have worked faster. 5. The fairies had not helped these poor people. 6. If Charlotte had opened the door, she would have seen an old woman who carried a basket.

7. She noticed what the old lady had brought her.   8. The old lady said to her: "The dwarfs will be able to do all the work that you will have given them to do."   9. When she had concealed the dwarfs in Charlotte's fingers, she disappeared. 10. Charlotte's father would have smiled if he had seen the ten little servants.

37. Le coquelicot et le bluet

Il y avait une fois une petite princesse, qui portait toujours une belle robe rouge.   Elle était très belle, mais aussi très fière.

La princésse avait une petite servante, qui portait
5 toujours une belle robe bleue.   La servante était aussi très jolie, mais elle, elle était gracieuse et aimable.

Tout ce que la princesse avait, était très beau.   Elle mangeait dans une assiette d'or et buvait dans un gobelet d'or; tous ses jouets étaient aussi en or et sa petite ser-
10 vante lui peignait les cheveux avec un peigne d'or.

Un jour les paysans étaient en train de couper le blé dans les champs.   La princesse les aperçut.

« Allons dans les champs, » dit-elle à sa petite servante et elles partirent toutes deux dans les champs.

15   « Bonjour, belle princesse, » dirent les paysans, mais la fière petite princesse ne leur répondit pas.   Au contraire la petite servante sourit et leur dit : « Bonjour, mes amis. »

Tout à coup la princesse crut apercevoir un grand nuage noir dans le ciel.   « Voilà la pluie !   Voilà la pluie ! »
20 cria-t-elle.   « Bâtissez-moi une maison, » dit-elle aux paysans, « je suis princesse et je ne veux pas être mouillée, bâtissez-moi une maison avec votre blé. »

« Mais, belle princesse, » dit un vieil homme, « il ne va pas pleuvoir, le soleil brille et le ciel est bleu. »

25   « Bâtissez-moi la maison, bâtissez-moi la maison, » ordonna la princesse.

La petite servante était toute triste. « Les pauvres enfants ! » se disait-elle, « si ces hommes bâtissent une maison avec le blé, les enfants n'auront pas de pain à manger cet hiver. »

Les paysans travaillèrent ferme, ils firent le plancher, 5 les murs et le toit avec leur blé et bientôt la maison fut prête.

« Venez avec moi, » dit la princesse et elle entra avec la petite servante dans la maison.

Quand elles furent entrées, les paysans se remirent au 10 travail. Tout à coup ils virent une grande flamme s'élever de la maison de blé.

« La maison est en feu, la maison est en feu ! » crièrent les paysans; et c'était vrai. La petite maison était toute en flammes et il fut impossible de sauver les deux jeunes 15 filles. En quelques minutes la maison, la princesse et la servante furent brûlées.

Deux semaines après deux fleurs poussaient à l'endroit où la petite maison avait été construite, un gracieux petit bluet et un éclatant coquelicot rouge. 20

« Le bluet est l'image de la petite servante, » dirent les paysans, « et le coquelicot celle de la fière princesse. »

Et c'est depuis ce temps-là qu'on peut voir dans tous les champs de blé des coquelicots rouges et des bluets bleus. 25

QUESTIONNAIRE XXXVII

1. Décrivez la princesse et sa servante.
2. Comment savons-nous que la princesse était très riche ?
3. Que remarque-t-elle dans les champs ?
4. Qu'est-ce qu'elle se décida à faire ?
5. Comment la servante se montra-t-elle plus aimable que la princesse ?
6. Pourquoi la princesse pensa-t-elle qu'il allait pleuvoir ?
7. Qu'ordonna-t-elle aux paysans ?

8. Pourquoi la servante était-elle triste?

9. Que firent les paysans?

10. Que remarquèrent-ils bientôt?

11. Sauvèrent-ils les jeunes filles?

12. Qu'aperçurent les paysans deux semaines après?

13. La servante était-elle devenue le coquelicot?

14. Que peut-on voir maintenant dans tous les champs de blé?

15. Aimez-vous mieux le coquelicot que la rose?

EXERCICE 37

A. *Étudiez les temps composés conjugués avec* être.

B. *Conjuguez:* 1. Je n'étais pas allé. 2. Quand je me fus endormi. 3. Est-ce que je serai devenu riche? 4. Je me serais promené.

C. *Mettez les phrases suivantes à tous les temps composés:*
1. Le chevreau se cache sous la table. 2. Il s'en va vite.
3. Elle devient le pic noir. 4. Jacques dort dans son lit.
5. Hélène s'endort près du nid. 6. L'aubergiste vole le mouton.
7. L'alouette s'envole en chantant. 8. La pièce d'or tombe dans la rivière.

D. *Relisez « Le vieil homme de la forêt » au passé.*

E. *Un des paysans raconte la mort de la fière princesse (au passé).*

F. *Traduisez en français:*
1. When they had escaped from the house.
2. They would have returned to the fields.
3. You had set out for the forest.
4. We shall have gotten up early.
5. You had stopped all at once.
6. The princess had come into the fields.

G. *Écrivez en français:* 1. When the king had arrived in the field, where the princess had died, he burst into tears. 2. If he had come sooner, he would have saved her. 3. But he had remained in the palace. 4. The princess and her servant had left the palace. 5. They had told the queen:

"We shall return (*have returned*) before noon." 6. Oh! if they had not entered the little house in the field! 7. A large flame had risen from the house. 8. The little house had fallen. 9. The two girls had been burned. 10. The king and the queen had become very sad.

38. Marie la laborieuse et Claire la paresseuse

Il y avait une fois une petite fille. Elle s'appelait Marie. Sa mère était morte et elle avait une belle-mère. La belle-mère avait aussi une fille. Cette petite fille s'appelait Claire.

Marie était jolie et sage, mais Claire était méchante 5 et laide. Malgré cela la mère aimait beaucoup Claire et n'aimait pas Marie.

Un jour la mère dit: « Marie, je suis pauvre et vous ne pouvez plus rester ici. Si vous voulez manger, il vous faut aller chercher du travail. » 10

La pauvre Marie pleura à chaudes larmes, mais elle dut s'en aller. Elle arriva dans une épaisse forêt.

Elle y vit une petite maison. Cette maison avait deux portes, l'une des portes était toute dorée et l'autre était toute noire. 15

Marie frappa à la porte noire et une affreuse vieille ouvrit la porte.

« Que voulez-vous, mon enfant ? » dit-elle.

« Est-ce que je peux dormir ici ? » dit Marie.

« Entrez, » dit la vieille femme et Marie entra dans la 20 maison.

« Voulez-vous dormir dans la meilleure chambre ou sur le plancher ? » demanda la vieille femme.

« Je peux dormir sur le plancher, » dit Marie.

Mais la vieille femme conduisit Marie dans la meilleure 25 chambre et la petite fille dormit dans un bon lit.

Le lendemain matin la vieille femme dit:

« Voulez-vous du pain et de l'eau, ou du café et du gâteau ? »

« Du pain et de l'eau me suffisent, » dit Marie, mais la vieille femme lui donna du café et du gâteau.

5 « Voici deux portes, » dit la vieille femme, « voulez-vous sortir par la porte d'or ou par la porte noire ? »

« Je sortirai par la porte noire, » dit Marie, mais la vieille 15 femme la fit sortir par la porte d'or et quand l'enfant passa, elle secoua la porte et une pluie d'or tomba sur la petite Marie. Ses cheveux et sa robe en étaient tout couverts.

20 Marie retourna alors à la maison.

QUESTIONNAIRE XXXVIII

1. Nommez les deux petites filles.
2. Décrivez-les.
3. Pourquoi Marie dut-elle quitter la maison ?
4. Pourquoi était-elle triste ?
5. Où arriva-t-elle ?
6. Décrivez la maison de la vieille femme.
7. Comment montra-t-elle qu'elle n'était pas difficile (*hard to please*) ?
8. Que lui demanda l'affreuse vieille ?
9. Que voulait faire Marie ?
10. Où dormit-elle ?
11. Désira-t-elle du café et du gâteau le lendemain matin ?
12. Par quelle porte voulut-elle sortir ?
13. Qu'est-ce qui arriva, quand elle passa ?

14. Pourquoi la vieille femme se montra-t-elle si bonne pour Marie?

A. *Étudiez la synopsis des verbes:*

I	II	III	IV	V
infinitif	participe présent	participe passé	présent de l'indicatif	passé défini
futur conditionnel	imparfait présent du subjonctif	passé indéfini plus-que-parfait passé antérieur futur antérieur conditionnel antérieur passé du subjonctif plus-que-parfait du subjonctif	impératif	imparfait du subjonctif

B. *Écrivez au tableau la synopsis des verbes* être, avoir.

C. *Employez les verbes suivants en phrases:* aura, étiez, ayez, ont été, avoir, seront, avaient, furent, avez eu, soyons.

D. *Mettez les phrases suivantes au futur, à l'imparfait et au passé indéfini:* 1. Perrette a une vache. 2. Lisette est paresseuse. 3. Nous avons besoin de vous. 4. Je suis content(e) de vous voir. 5. Vous avez ma nappe dans votre poche. 6. Les fraises sont belles. 7. J'ai un cornet de bonbons.

E. *Relisez « Les singes et les bonnets » au passé.*

F. *Marie raconte sa visite chez la vieille femme.*

G. *Traduisez:* 1. Your sister told me the story of your visit, Marie. 2. If I repeat the story, will you tell me, if I am right? 3. You had a stepmother and a stepsister. 4. Your stepmother did not like you. 5. She told you to go to look for work. 6. When you arrived in the thick forest, you knocked at the door of a little house. 7. You slept in the best room of the house. 8. The old woman gave you coffee and cake the next morning. 9. When you were passing through the door, she let a rain of gold fall upon you.   10. Yes, Anne, you have told the story well.

39. Marie la laborieuse et Claire la paresseuse (suite)

Lorsque Claire la vit ainsi, elle demanda d'où elle venait. Marie raconta son aventure. « Si j'allais chez la vieille femme, » pensa Claire, « je rapporterais beaucoup d'or moi aussi. » « Je vais à la forêt, » dit-elle à
5 sa mère, « je veux voir cette vieille femme, » et Claire s'en alla dans la forêt.

Elle vit bientôt la petite maison avec les deux portes. Elle frappa à la porte d'or et l'affreuse vieille femme ouvrit.

10   « Que voulez-vous, mon enfant ? » dit-elle.

« Je veux dormir ici, » dit Claire.

« Entrez, » dit la vieille femme et Claire entra dans la maison.

« Voulez-vous dormir dans la meilleure chambre ou
15 sur le plancher ? » dit la femme.

« Dans la meilleure chambre, » dit Claire, mais il lui fallut dormir sur le plancher.

Le lendemain matin la vieille femme dit :

« Voulez-vous du pain et de l'eau, ou du café et du
20 gâteau ? »

« Je veux du café et du gâteau, » dit Claire; mais la vieille femme ne lui donna que du pain et de l'eau.

« Voulez-vous sortir par la porte d'or ou par la porte noire ? » dit la femme.

25   « Par la porte d'or, » dit Claire; mais la femme ouvrit la porte noire et dit: « Allez-vous-en ! » Elle secoua alors la porte et une grande quantité de poix tomba sur Claire, et ses cheveux, sa figure et sa robe devinrent tout noirs.

Elle retourna à la maison.   Sa mère ouvrit la porte.
30 « Que voulez-vous ? » dit-elle.

« Ah, mère, » dit la petite fille, « me voilà revenue. »

« Non, » dit la mère, « vous n'êtes pas mon enfant, ma petite Claire n'est pas noire, allez-vous-en ! » et elle ferma la porte.

La pauvre petite fille s'en alla et ne revint jamais. 5

Un jour Marie était assise devant la porte de la maison. Un prince passa par là et la vit.

« Quelle jolie jeune fille ! » se dit-il, « je voudrais bien l'épouser. »

« Jolie fille, » dit-il, « si vous voulez venir avec moi et 10 demeurer dans mon château, vous serez ma femme. »

Marie leva les yeux et vit que le prince était très beau.

« Oui, » dit-elle, « je veux bien vous accompagner. »

Et elle partit avec le prince et alla habiter à la ville dans un magnifique château. 15

Tout est bien, qui finit bien.

QUESTIONNAIRE XXXIX

1. Claire était-elle surprise de revoir Marie ?
2. Que pensa Claire ?
3. Pourquoi voulut-elle voir la vieille femme ?
4. Que lui demanda celle-ci ?
5. Quelle fut sa réponse ?
6. Où voulait-elle dormir ?
7. Est-ce que son désir fut satisfait ?
8. Que lui donna la vieille femme à manger ?
9. Pourquoi lui donna-t-elle du pain ?
10. Par quelle porte est-elle sortie ?
11. Qu'est-ce qu'elle attendait ?
12. Que reçut-elle ?
13. Qu'est-ce qu'elle est devenue ?
14. Qui passa un jour par là ?
15. Que pensa-t-il de Marie ?
16. Quelle question importante lui posa-t-il ?
17. Pourquoi l'accepta-t-elle ?
18. Voudriez-vous bien rencontrer un beau jeune prince ?

EXERCICE 39

A. *Étudiez l'emploi des temps dans les phrases conditionnelles.*

B. *Complétez les phrases suivantes:* 1. Si le boulanger présente un gâteau à Bruno, ——. 2. Le jeune garçon aurait cherché des fraises, si ——. 3. Le bâton punira Jacques, si ——. 4. Si le chat grimpe à l'arbre, ——. 5. Maurice n'aurait pas remporté le prix, si ——. 6. Si le vieux marin arrive, ——. 7. Si Jacques guérissait la princesse, ——. 8. Les singes jetteraient leurs bonnets sur l'herbe, si ——.

C. *Écrivez au tableau la synopsis des verbes* donner, finir, vendre.

D. *Mettez les phrases suivantes au conditionnel, au passé défini et au plus-que-parfait:*

1. Le maître n'achète pas de bonbons.
2. La mère tombe malade.
3. Nous remplissons le pot au lait.
4. Vous étendez les mains.

E. *Relisez « Perrette et le pot au lait » au passé.*

F. *La mère raconte la perte de ses filles.*

G. *Traduisez:* 1. If Claire had seen Marie thus, she would have asked her whence she came. 2. If Claire had gone to the forest, she would have brought back much gold. 3. Claire thought: "If I knock at the door, a frightful old woman will open." 4. If the old woman tells her to enter, she will not refuse. 5. If she wishes to sleep in the best room, the old woman will tell her to sleep on the floor. 6. If the old woman should shake the door, Claire's face and dress would become all black. 7. If the mother sees the little girl returning home, she will close the door. 8. If the prince should see Marie, he would wish to marry her. 9. She will be his wife, if she wishes. 10. If she had not accompanied him, she would not have lived in a castle.

40. La chanson de Pierre

Le petit Pierre demeurait à Paris. Son père était mort, sa mère était malade et ne pouvait pas travailler. Aussi n'avaient-ils pas toujours de pain à la maison.

Un matin Pierre était assis devant la fenêtre et chantait une chanson. Il avait une jolie voix et il avait composé lui-même l'air et les paroles de sa chanson.

« Ah, » se dit-il, « Madame Malibran, la fameuse chanteuse, est à Paris. Elle chante ce soir à un concert. 5 J'ai entendu dire qu'elle est très belle et aussi très bonne et qu'elle vient souvent en aide aux enfants pauvres. Si elle voulait chanter ma chanson ce soir, je pourrais la vendre et acheter du pain pour ma mère. Je vais aller la trouver. » Il prit sa chanson et partit. 10

Il arriva bientôt devant la porte de Madame Malibran. Il frappa. Une servante ouvrit.

« Que voulez-vous ? » demanda-t-elle.

« Je voudrais bien voir Madame Malibran, » dit Pierre.

« Madame Malibran est très fatiguée et elle chante 15 ce soir; vous ne pouvez pas la voir. »

« Oh, je vous en prie, » implora Pierre, « laissez-moi entrer. »

« Attendez un peu, » dit la servante et elle alla dans la chambre où la chanteuse se reposait. 20

« Un petit garçon voudrait parler à Madame, » dit-elle.

« Un petit garçon ? » dit Madame Malibran. « Je suis bien fatiguée, mais faites-le entrer quand même. » Et le petit Pierre entra dans la chambre et se tint debout 25 devant la grande artiste, son chapeau à la main.

« Que voulez-vous, mon enfant ? » dit Madame Malibran.

« Madame, » dit Pierre, « voici une chanson, j'en ai écrit l'air et les paroles moi-même. Si vous vouliez la 30 chanter ce soir, je pourrais la vendre et acheter du pain pour ma mère qui est malade. »

Madame Malibran prit le papier et chanta la chanson.

« Mais elle est très jolie, votre chanson, » dit-elle, « c'est admirable d'avoir composé cela à votre âge. Je 35

vais la chanter au concert ce soir même. Ne voudriez-
vous pas venir l'entendre ? »

« Oh, oui, je voudrais bien l'entendre, » dit Pierre,
« mais je ne peux pas y aller, je ne puis quitter ma mère,
5 elle est trop malade. »

« Ma servante ira près de votre mère et vous viendrez
au concert, » dit Madame Malibran.

Et le soir même le petit Pierre était assis dans la grande
salle et attendait avec impatience la célèbre chanteuse.
10 Madame Malibran entra et elle chanta la chanson de
Pierre. Elle la chanta avec tant d'émotion que presque
tous les auditeurs pleuraient quand elle eut fini.

Le lendemain matin Madame Malibran se rendit à la
maison où Pierre demeurait avec sa mère.

15 « J'ai vendu la chanson de Pierre, » dit-elle à la mère
malade, « et voici deux mille francs. Ne voulez-vous
pas permettre à Pierre de venir étudier chez moi ? »

Elle donna des leçons de chant au petit Pierre qui
devint un grand chanteur et gagna une grosse fortune.

QUESTIONNAIRE XL

1. Pourquoi Pierre était-il pauvre ?
2. Quelle chanson chantait-il un matin ?
3. A qui pensait-il ?
4. Que dit-il d'elle ?
5. Que se décida-t-il à faire ?
6. Que dit-il à la servante ?
7. Pourquoi ne pouvait-il pas la voir ?
8. La chanteuse consentit-elle à le voir ?
9. Que fit-il après être entré chez elle ?
10. Pourquoi était-elle surprise ?
11. Est-ce qu'elle l'invita à assister au concert ?
12. Qui alla soigner la mère malade ce soir-là ?
13. Quel fut l'effet de la chanson sur les auditeurs ?
14. Où Madame Malibran se rendit-elle le lendemain ?
15. Qu'est-ce qu'elle demanda à la mère de Pierre ?

16. Devint-il un célèbre chanteur?
17. Aimez-vous la musique?
18. Préférez-vous la musique populaire à la musique classique?
19. Aimez-vous mieux le concert que le cinéma?

EXERCICE 40

A. *Étudiez l'emploi des temps de l'indicatif.*

B. *Expliquez l'emploi des verbes dans l'histoire « Charlotte et les dix nains ».*

C. *Relisez « Le malin meunier et le sot meunier » au passé.*

D. *Apprenez la synopsis des verbes* aller, venir.

E. *Madame Malibran raconte ce qu'elle a fait pour Pierre.*

F. *Traduisez:* 1. When I was young, I lived at Paris. 2. My father was dead and my mother and I were poor.   3. I liked music and I had composed the air and words of a song. 4. One morning I was singing this song and was thinking of the famous singer, Madame Malibran.   5. I decided to take my song and go to see the great artist.   6. Her maid did not wish to let me enter, but I implored her and she consented. 7. I thought: "When I see her I shall beg her to sing my song at the concert this evening."   8. She told me that her servant would go to my mother's and that I should come to the concert. 9. When the celebrated singer had finished singing my song that evening, all the listeners were crying.   10. She asked my mother whether she would permit me to come to study with her.

41. Pierre et la sorcière

Une femme avait trois fils.

L'un s'appelait Robert, le deuxième Guillaume et le troisième Pierre. Robert et Guillaume étaient méchants et paresseux. Pierre était un bon petit garçon et aidait toujours sa mère à la maison.   5

La mère dit un jour à ses fils: « Je suis pauvre et il m'est impossible de garder deux paresseux comme vous

à la maison, il faut que vous cherchiez du travail. »
Robert et Guillaume s'en allèrent et Pierre les ac-
compagna.

Un soir les trois frères arrivèrent au bord d'un grand
5 étang. Près de l'étang se trouvait une petite cabane,
où demeurait une vieille sorcière avec sa fille.

Les trois frères s'arrêtèrent devant la cabane. Au-
dessus de la porte une belle lanterne d'or était suspendue.
Devant la maison broutait une belle chèvre blanche aux
10 cornes d'or et à ses cornes étaient attachées des clochettes
d'or.

Robert frappa à la porte. La vieille femme ouvrit.
Elle était très âgée et affreusement laide, mais elle
portait un merveilleux manteau d'or.

15   « Bonsoir, » dit Robert, « il faut que nous dormions
quelque part. Voulez-vous nous donner à coucher pour
la nuit ? »

« Non, » dit la vieille femme, « le roi demeure dans
un grand château à quatre milles d'ici. Allez au château,
20 vous y trouverez à coucher. »

Puis la vieille femme dit à Pierre: « Comment vous
appelez-vous ? »

« Pierre, » répondit le petit garçon.

« Ne voulez-vous pas rester ici avec moi et travailler pour moi ? »

« Non, » dit Pierre, « je ne puis quitter mes frères, il faut que je les suive au château. »

Et les trois frères allèrent au grand château et le roi 5 leur donna du travail à tous trois. Robert et Guillaume travaillaient dans la cuisine; quant à Pierre, il devait se promener avec le petit prince et jouer avec lui. Robert et Guillaume étaient très paresseux et ne travaillaient pas bien, mais Pierre était appliqué et le petit prince 10 l'aimait beaucoup.

Robert et Guillaume en étaient très jaloux.

« Il faut que nous travaillions dans la cuisine et Pierre ne travaille pas, » dirent-ils, « il faut que cela finisse. »

QUESTIONNAIRE XLI

1. Nommez et décrivez les fils de la pauvre femme.
2. Que leur dit-elle un jour ?
3. Pourquoi les fils s'en allèrent-ils ?
4. Où arrivèrent-ils un soir ?
5. Qui demeurait près de l'étang ?
6. Qu'est-ce que les jeunes garçons aperçurent devant la cabane ?
7. Décrivez la chèvre.
8. Quand Robert frappa à la porte, qui l'ouvrit ?
9. Était-elle bien habillée ?
10. Que demanda Robert ?
11. La vieille femme les invita-t-elle à entrer ?
12. Que dit-elle à Pierre ?
13. Pourquoi ne voulut-il pas rester chez elle ?
14. Que firent les trois garçons ?
15. Comment passèrent-ils leur temps chez le roi ?
16. Fut-il content d'eux ?
17. Quel fut l'effet de la bonne fortune de Pierre sur ses frères ?
18. Pourquoi préférons-nous Pierre à ses deux frères ?

EXERCICE 41

A. *Étudiez le présent du subjonctif des verbes* donner, finir, vendre, courir, dire, dormir, écrire, lire, mettre, ouvrir, rire, savoir, suivre; *la synopsis des verbes* dire, vouloir.

B. *Conjuguez:* 1. Il faut que je vende mes poules. 2. Faut-il que j'écrive la lettre?   3. Il est possible que je coure après le gâteau.   4. Il est impossible que je finisse ma leçon.

C. *Faites précéder les phrases suivantes de l'expression* il faut que:

1. Il entend le chien.
2. La princesse rit.
3. Vous répondez à ma question.
4. Nous chantons au concert.
5. Elle court à la forêt.
6. Le loup adoucit sa voix.
7. Pierre suit ses frères.

D. *Relisez « Le pigeon d'Émile » au passé.*

E. *Employez les formes suivantes en phrases originales:* disent, voulu, lise, voudriez, dite, vouliez, dites, dirent, voudra, veulent.

F. *Racontez la première partie de l'histoire de « Pierre et la sorcière ».*

G. *Traduisez:* 1. My mother has three sons. 2. My name is Robert, my brothers' names are William and Peter. 3. Peter always remained at home with my mother, but William and I liked to play in the forest. 4. People always said that Peter was good and that William and I were lazy. 5. One day my mother said, "You must go to look for some work." 6. When we arrived at a little cabin near a large pond, I said to my brothers, "It is impossible for us to sleep here." 7. We must enter the king's castle. 8. Peter wishes to stay at the little cabin, but he must follow us to the castle. 9. It is possible that we work too much in the kitchen. 10. Peter must tell us why the prince likes him.

42. Pierre et la sorcière (suite)

Un jour le roi passa dans la cuisine où Robert et Guillaume travaillaient.

« Votre Majesté, » dit Robert, « n'a pas de lanterne d'or ici au château, mais la vieille sorcière près de l'étang en a une très belle. »

« Pouvez-vous m'apporter la lanterne ? » dit le roi.

« Non, je ne peux pas apporter la lanterne, mais Pierre 5 le peut. »

Au même moment Pierre entra dans la cuisine. Le roi lui dit:

« Pierre, il faut que vous alliez me chercher la lanterne de la sorcière; si vous la rapportez, je vous donnerai 10 beaucoup d'or. »

Robert et Guillaume se réjouirent en disant: « Il est possible que la vieille sorcière le batte et le fasse mourir. Dans ce cas nous serons débarrassés de lui. »

Pierre sortit du château et arriva bientôt devant la 15 petite cabane. Il faisait très sombre. La vieille femme était dans la cabane et faisait cuire la soupe sur le feu.

Pierre grimpa sur le toit et par la cheminée il jeta une poignée de sel dans la soupe.   20

La vieille femme s'assit à table et voulut manger la soupe, mais elle était trop salée.

La vieille femme très en colère dit à sa fille: « Allez à l'étang me chercher un seau d'eau, la soupe est trop salée. »   25

« Il fait bien noir, » dit la petite fille, « je ne peux pas voir. »

« Vous pouvez prendre la lanterne, » dit la sorcière et la petite fille s'en alla à l'étang, la lanterne à la main. Pierre la suivit et pendant qu'elle puisait l'eau, il saisit 30 la lanterne et courut la porter au roi.

« Vraiment, cette lanterne est magnifique, » dit le roi, et il donna beaucoup d'argent à Pierre. Alors ses frères furent encore plus mécontents.

« Maintenant Pierre est riche, » pensèrent-ils, « et il 35

faut que nous continuions à travailler. » Et Robert dit un jour au roi:

« Votre Majesté n'a pas de chèvre aux cornes d'or, mais la vieille sorcière en a une. »

5　« Une chèvre aux cornes d'or? Il faut que j'aie cette chèvre. Pouvez-vous me l'amener? » dit le roi.

« Non, mais Pierre peut vous l'amener. » A ce moment Pierre parut.

« Pierre, » dit le roi, « si vous m'amenez la chèvre aux 10　cornes d'or, je vous donnerai un beau château. »

Pierre partit et arriva bientôt devant la petite cabane. Il faisait déjà nuit. « Comme à présent le roi a la lanterne d'or, » pensa Pierre, « il est impossible que la sorcière me voie. »

15　La chèvre était dans la cabane. Pendant la nuit Pierre ouvrit tout doucement la fenêtre, pénétra dans la maison et trouva la chèvre. Il remplit de laine les petites clochettes d'or, ouvrit la porte et emmena la chèvre hors de la maison. Alors il enleva la laine des 20　clochettes, et elle se mirent à sonner. La vieille femme les entendit et vint à la porte.

« Où est ma chèvre? » dit-elle, mais elle ne pouvait pas voir Pierre et finalement elle referma la porte et retourna se coucher. Pierre amena la chèvre au roi.

25　« C'est en effet une très belle chèvre, » dit le roi, et il récompensa Pierre en lui donnant un superbe château.

QUESTIONNAIRE XLII

1. Qu'est-ce qui arriva un jour?
2. Que dit Robert au roi?
3. Que demanda le roi à Robert?
4. Quelle commission le roi donna-t-il à Pierre?
5. Quelle promesse lui fit-il?
6. Pourquoi les deux frères étaient-ils contents?
7. Quand Pierre arriva chez la sorcière, que faisait-elle?

8. Pourquoi la soupe était-elle trop salée?

9. Pourquoi faut-il que Pierre suive la petite fille de la sorcière?

10. Faut-il que le roi ait la chèvre aux cornes d'or?

11. Comment Pierre vola-t-il la chèvre?

12. Avait-il raison de la voler?

13. Est-il possible que la sorcière entende les clochettes?

14. Que fit Pierre de la chèvre?

15. Quelle fut sa récompense?

EXERCICE 42

A. *Étudiez le présent du subjonctif des verbes* avoir, être, aller, apercevoir, croire, faire, pouvoir, prendre, tenir, venir, voir, vouloir; *la synopsis des verbes* suivre, prendre.

B. *Conjuguez:* 1. Faut-il que j'aie cette petite pomme? 2. Il est possible que je sois malade.   3. Il est impossible que je tienne ma promesse.   4. Il faut que j'aille à l'école.

C. *Faites précéder les phrases suivantes de l'expression* il est possible que:

1. Charles vient chez le marin tous les jours.

2. Maurice s'en va vite.

3. Nous apercevons le loup.

4. Les élèves auront des bonbons.

5. Vous êtes trop généreux.

6. J'ai besoin de vous.

7. Vous voyez la grande artiste.

8. Pierre le fera demain.

9. Vous serez heureux.

D. *Employez ces verbes en phrases:* preniez, suivi, prenons, suit, prit, suivez, ont pris, suivrait, prenait, suivie.

E. *Relisez « Le nid de l'alouette » au passé.*

F. *Pierre raconte au roi comment il amena la chèvre de la sorcière.*

G. *Traduisez:* 1. Is it possible that the king has a fine gold lantern?   2. No, Peter must go and get the witch's lantern.   3. It is possible that she is in her cabin.   4. If she wishes to eat the soup, she will find it too salty.   5. Her daughter must go to the pond and fetch a pail of water.   6. She must take the gold lantern.   7. Peter must follow her and seize the lantern.   8. It is possible that the king will give

Peter a great deal of money.   9. The old witch must come to her door to look for her goat.   10. It is impossible for her to hear the little bells.

43. Pierre et la sorcière (fin)

Alors ses frères se mirent tout à fait en colère.

« Pierre est riche et a un superbe château, et il nous faut continuer à travailler, bien que nous soyons ses frères.   Il semble qu'il nous oublie; il faut que cela
5 change, » dirent-ils.

Un jour Robert dit au roi:

« Se peut-il que Votre Majesté n'ait pas de manteau d'or, alors que la vieille sorcière en a un magnifique? C'est le plus beau manteau que j'aie jamais vu. »

10   « Un manteau d'or? » dit le roi, « il me faut le manteau; croyez-vous que vous puissiez me l'apporter? »

« Non, mais Pierre peut vous l'apporter, » dit Robert.

Un jour le roi rencontra Pierre.

« Pierre, » dit le roi, « si vous m'apportez le manteau
15 d'or de la sorcière, je vous donnerai ma fille en mariage. »

« Je vous apporterai le manteau, » dit Pierre et il retourna à la petite cabane près de l'étang.

Il frappa à la porte et la vieille femme ouvrit.

« Ah, je vous connais, misérable coquin!   C'est vous
20 qui avez volé ma lanterne. »

« Oui, j'ai volé la lanterne, » dit Pierre.

« N'avez-vous pas aussi volé ma chèvre? »

« Oui, j'ai aussi volé votre chèvre. »

« Eh bien, puisque vous avez volé ma lanterne et ma
25 chèvre, vous allez maintenant rester ici et travailler. J'ai justement besoin de quelqu'un qui puisse laver; commencez par laver ce linge, » et de peur que Pierre ne s'échappe, elle ferma la porte.

Il faisait très chaud dans la chambre et la vieille femme
30 mit le manteau d'or sur une chaise.

« Allez me chercher un seau d'eau, » dit-elle à sa fille, et la jeune fille partit avec le grand seau pour l'étang. Comme elle n'avait pas la lanterne d'or, elle ne pouvait pas bien voir et elle tomba dans l'étang.

« Au secours, au secours ! » cria-t-elle. La vieille femme 5 l'entendit et courut à l'étang, mais elle ne pouvait pas voir et elle tomba aussi dans l'eau. Pierre prit le manteau d'or et le porta au roi.

« Voici le manteau, » dit-il au roi.

« C'est vraiment le plus beau manteau que j'aie jamais 10 vu, » dit le roi, « je vais vous donner ma fille en mariage. »

Pierre épousa la princesse et ils s'en allèrent demeurer dans le superbe château où ils vécurent bien heureux, pendant que les méchants frères continuèrent à travailler dans la cuisine. 15

QUESTIONNAIRE XLIII

1. Pourquoi Robert et Guillaume étaient-ils mécontents ?
2. Que dit Robert au roi ?
3. Qu'est-ce que le roi promit à Pierre ?
4. Celui-ci eut-il envie d'apporter le manteau d'or ?
5. La vieille sorcière fut-elle contente de revoir Pierre ?
6. Que lui dit-elle de faire ?
7. Pourquoi faisait-il trop chaud dans la chambre ?
8. Où alla la jeune fille ?
9. Pourquoi tomba-t-elle dans l'étang ?
10. Que fit alors sa mère ?
11. Pierre les a-t-il sauvées ?
12. Que dit-il au roi ?
13. Le roi tint-il sa promesse ?
14. Où demeurèrent les nouveaux mariés ?
15. Que devinrent les deux frères ?
16. Est-il possible que vous n'aimiez pas cette histoire ?

EXERCICE 43

A. *Étudiez le subjonctif de doute; la synopsis des verbes* courir, ouvrir.

B. *Expliquez le mode des verbes dans les phrases suivantes:*

1. Il est probable qu'il arrivera demain. 2. N'espérez pas que nous vous aidions.   3. César aboie pour que vous ouvriez la porte.   4. Je sais que vous réussirez.   5. J'ai un ami qui m'aidera.   6. Le roi ne croit pas que la princesse aperçoive Jacques.   7. Oubliez-vous que je suis votre ami?   8. Il semble qu'il ne comprenne pas l'affaire.   9. Se peut-il que Marie dorme sur le plancher?   10. Je doute que Pierre ait composé la chanson.   11. Louise a un chien qui s'appelle Bruno.   12. La vieille femme désire un petit-fils qui l'appelle grand'mère.   13. Il semble à mon frère qu'il a trop peu d'argent. 14. Il n'est pas certain que ce garçon ôte son chapeau dans la maison.   15. Jacques ne volera pas la pomme de peur que le bâton ne le punisse.

C. *Relisez « Le parterre enchanté » au passé.*

D. *Le roi raconte à sa fille comment Pierre a volé le manteau d'or.*

E. *Traduisez:* 1. Although Peter is rich, his brothers must continue working.   2. They tell the king that the witch has the most beautiful cloak they have ever seen.   3. It is certain that Peter will bring the cloak to the king.   4. Peter is the only person who can steal the cloak.   5. I am sure that you have stolen my lantern.   6. You must remain here and work. 7. Although it is warm in the room, I will not open the door. 8. I believe that the witch's daughter will fall into the pond. 9. The daughter will cry "Help! Help!" until her mother runs to the pond.   10. We do not doubt that Peter will marry the princess.

44. Le baiser de la mère

Benjamin West était un petit garçon âgé de sept ans. Il demeurait avec sa mère et sa sœur à Springfield.

La petite Sally, la sœur de Benjamin, n'avait que huit mois, mais il l'aimait beaucoup et jouait souvent avec elle.

Benjamin savait très bien peindre et dessiner, mais il n'avait pas de couleurs et il lui fallait peindre avec de l'encre rouge et de l'encre noire.

Sa mère dit un jour: « Benjamin, il me faut aller dans le jardin cueillir des pois. Je désire que vous restiez 5 près du berceau de votre sœur. Prenez bien garde que la petite Sally ne tombe. »

« Oui, mère, » dit Benjamin, et il s'assit près du berceau et berça sa petite sœur.

A ce moment l'enfant sourit dans son sommeil.   10

« Ah, comme elle est belle, ma petite Sally, je voudrais bien faire son portrait, mais je n'ai pas de pinceau. »

Alors il vit le vieux chat sous la table.

« Ah, je sais bien ce que je vais faire. Minet, per- mettez que je vous emprunte un pinceau. » Et il coupa 15 quelques poils de la queue du chat et s'en fit un pinceau, puis il fit le portrait de l'enfant dans son berceau.

Bientôt la mère revint et aperçut le portrait que Ben- jamin avait peint.

« Qu'avez-vous là, mon fils? » dit-elle. Elle s'approcha 20 du berceau et lui prit le papier de la main.

Quand elle eut vu le portrait, « Vous avez fait un portrait de Sally, » dit-elle; « Dieu vous bénisse, mon fils! » et elle le prit dans ses bras et l'embrassa.

Plus tard Benjamin West devint un très grand peintre, 25 et il avait coutume de dire:

« Le baiser de ma mère m'a fait peintre. »

QUESTIONNAIRE XLIV

1. Quel âge avait le petit Benjamin?
2. Avec qui demeurait-il?
3. Était-il Français ou Américain?
4. Pourquoi croyez-vous cela?
5. Dans quel état demeurez-vous?
6. Le petit Benjamin aimait-il à peindre et à dessiner?

7. Quelles étaient ses couleurs?
8. Que lui dit sa mère un jour?
9. Que se décida-t-il à faire?
10. Qui lui prêta un pinceau?
11. Que fit-il alors?
12. Que pensa la mère en voyant le portrait?
13. Comment montra-t-elle son amour pour son fils?
14. Qu'est-ce qu'il devint plus tard?
15. Que disait-il souvent?
16. Avez-vous jamais fait plaisir à votre mère?
17. Comment vous a-t-elle remercié?
18. Pouvez-vous nous dire quelque chose de la vie de ce grand peintre?

EXERCICE 44

A. *Étudiez le subjonctif de volonté; la synopsis des verbes* voir, savoir.

B. *Faites précéder les phrases suivantes de l'expression* il veut que:

1. Vous aimez vos parents.   2. Elle sait peindre et dessiner.
3. Je vais dans le jardin cueillir des pois.   4. Nous restons près du berceau.   5. J'ai un pinceau.   6. Le chat me donne un pinceau.   7. Elles font un portrait.   8. Sa mère aperçoit le portrait.   9. Elle prend le portrait.   10. Benjamin devient un grand peintre et est riche.

C. *Complétez les phrases, en employant le subjonctif:*

1. Nous préférons que ——.   4. Elle désire ——.
2. Prenez garde ——.   5. J'empêcherai ——.
3. Je permets ——.   6. Ils ordonnent ——.

D. *Employez ces verbes en phrases:* sait, vues, saviez, vit, saura, voie, sache, verrez, avais su, voyez.

E. *Benjamin raconte cette histoire.*

F. *Traduisez:* 1. I wish you to know the story of the great painter, Benjamin West.   2. His mother permits him to paint and draw.   3. She orders him to go to the garden to pick peas.
4. At last she says: "I shall permit you to remain near your sister's cradle.   5. Take care not to awaken your little sister."

6. Benjamin wishes that she may smile in her sleep. 7. I
wish that she may not awaken, while I am making her portrait.
8. His mother does not forbid his cutting hairs from the cat's
tail to make a brush. 9. She wishes him to make a portrait of his sister in her cradle. 10. His mother's kiss does
not prevent his becoming a great painter.

45. La princesse Fridoline

Fridoline était une petite princesse. Elle avait une
grand'mère et cette grand'mère était une fée.

Un soir la grand'mère vint chez Fridoline dans une
belle voiture attelée de deux chevaux noirs.

« Fridoline, » dit la vieille dame, « c'est demain votre 5
fête. Je veux vous accorder trois souhaits; vous n'aurez
qu'à souhaiter ce que vous voudrez et vous l'aurez. »

« Oh, comme vous êtes bonne, grand'mère, » dit Fridoline. « Puis-je faire un souhait maintenant ? »

« Non, demain quand vous vous réveillerez; mais ne 10
vous pressez pas trop et souvenez-vous que vous n'avez
que trois souhaits, pas un de plus. » Là-dessus la vieille
dame embrassa l'enfant qui s'en alla dormir. Le lendemain matin Fridoline se réveilla de bonne heure et se dit:

« Je peux faire un souhait maintenant, mais qu'est-ce 15
que je vais bien souhaiter ? Dois-je souhaiter d'avoir un
petit cheval ? Je voudrais bien avoir aussi un rouet
d'or, la grand'mère a un très beau rouet; oui, je me
souhaite un rouet. » Et au même instant elle trouva un
beau petit rouet d'or devant elle. 20

Fridoline était bien contente et s'amusa longtemps
avec le rouet. A l'heure du déjeuner elle entra dans la
salle à manger. Il y avait sur la table beaucoup de
beaux cadeaux et parmi eux une poupée, une poupée
noire avec des cheveux bouclés. 25

« Ah, elle est très drôle, » dit Fridoline, « je voudrais
bien être noire comme cette poupée. » Et en un clin

d'œil elle n'était plus la princesse Fridoline, elle était devenue toute noire.

« Papa, maman! » cria Fridoline, et le roi et la reine se précipitèrent dans la salle.

5   « Fridoline! Où est mon enfant? » dit la reine.

« Comment se peut-il que cette vilaine enfant se trouve ici? » dit le roi.

« Ah, papa, maman, c'est moi, Fridoline. La grand'-mère m'a accordé trois souhaits et j'ai souhaité d'être
10 noire comme la poupée et je le suis. »

« C'est affreux, » dit la reine, « il faut que nous vous lavions jusqu'à ce que vous redeveniez blanche. » Et toute la journée on lava la pauvre Fridoline, mais elle était et restait noire. Enfin on frappa à la porte et la
15 vieille grand'mère entra.

« Ah, grand'mère, grand'mère, faites que je redevienne blanche, je vous prie, » dit Fridoline en fondant en larmes.

« Vous n'avez souhaité que deux fois, vous avez encore un souhait, » dit la grand'mère, « vous pouvez souhaiter
20 de redevenir blanche. »

« Je voudrais redevenir Fridoline, » cria l'enfant, et ce fut la petite princesse qui se trouva dans la salle à manger.

« Venez maintenant avec moi dans le jardin, » dit la
25 vieille dame; et Fridoline, le roi et la reine l'accompagnèrent dans le jardin. Il y avait là une petite voiture toute dorée avec deux petits chevaux blancs.

« Voilà mon cadeau pour votre fête, » dit la grand'mère à Fridoline.

30   « Ah, comme je suis contente! Je vous remercie mille fois, » dit Fridoline, en embrassant la vieille dame.

QUESTIONNAIRE XLV

1. Comment s'appelait la petite princesse?
2. Qui lui fit visite un jour?

3. Qu'est-ce que la fée lui promit?
4. Fit-elle un souhait tout de suite?
5. Que désira-t-elle?
6. Pourquoi pensa-t-elle au petit cheval et au rouet?
7. Quel fut son premier souhait?
8. Que vit-elle sur la table dans la salle à manger?
9. Que souhaita-t-elle alors?
10. Pourquoi le roi et la reine furent-ils surpris?
11. Qu'est-ce que la reine se décida à faire?
12. Comment passèrent-ils la journée?
13. Qui revint le soir?
14. Que dit Fridoline à sa grand'mère?
15. Quel fut son troisième souhait?
16. Quel cadeau la grand'mère fit-elle à sa petite-fille?
17. Comment Fridoline remercia-t-elle sa grand'mère?
18. Quels seraient vos trois souhaits, si une fée vous les promettait?

EXERCICE 45

A. *Étudiez le subjonctif d'opinion favorable ou défavorable; la synopsis des verbes* dormir, faire.

B. *Complétez les phrases, en employant le subjonctif:*

1. Il trouve bon que ——.   3. Il est nécessaire ——.
2. Il faut ——.   4. Il est temps ——.
5. Elle mérite ——.

C. *Remplacez l'infinitif entre parenthèses par le présent du subjonctif:* 1. Ils méritent qu'on les (punir).   2. Il convient que nous (présenter) nos fraises au vieillard.   3. Il est bon que le bâton (battre) l'aubergiste.   4. Trouvez-vous bon que Lisette (être) si paresseuse?   5. Il est essentiel que le berger (entendre) ce que dit le prince.

D. *Conjuguez:* 1. Il est possible que je sois entré(e) dans la chambre.   2. Il n'est pas certain que j'aie trouvé ma nappe. 3. Il n'est pas sûr que je me sois levé(e) de bonne heure.

E. *Employez en phrases:* dormez, fassiez, dormi, fera, dormait, ont fait, dormirais, fit, dort, faites.

F. *La reine raconte l'histoire.*

G. *Traduisez:* 1. I am certain that Fridoline's grandmother was a fairy.   2. It is fitting that the fairy came in a
beautiful carriage.   3. I want you to wish for what you desire.
4. It is necessary that you have it.   5. It is better for you
to make a wish now.   6. Are you sure that you have three
wishes?   7. Although she finds a golden spinning wheel
before her, she is not long satisfied.   8. She wishes that she
may become black like her doll.   9. It is just that she be
black.   10. "Let her become white again!" said the fairy.

46. Blancheneige et les elfes

Margot était une petite fille.   Elle n'avait ni père ni
mère et demeurait avec sa tante dans une petite maison
dans la forêt.

La tante était très pauvre et n'avait pas de champ,
5 et pour cette raison, Margot devait aller en été avec
Blancheneige, la belle vache blanche, dans la forêt où
il y avait beaucoup d'herbe.

Un soir Margot ramenait Blancheneige à la maison.
Elle rencontra une vieille femme assise sous un arbre
10 qui pleurait à chaudes larmes.

« Qu'avez-vous ? » dit Margot.

« J'ai perdu mon aiguille à tricoter dans la forêt.   Si
je ne retrouve pas l'aiguille, je ne pourrai plus tricoter
et ne pourrai pas vendre de bas et je suis si pauvre ! »

15   « Ne pouvez-vous pas retourner dans la forêt chercher
l'aiguille ? » dit Margot.

« Je suis vieille et très fatiguée; ne pouvez-vous pas
y aller me la chercher, mon enfant ? »

« Non, c'est impossible, il faut que je ramène Blanche-
20 neige à la maison, car ma tante va vouloir la traire. »

« Mais je vais rester assise ici, et la vache pourra brouter
sous l'arbre.   Allez me chercher l'aiguille, je vous en prie, »
dit la vieille femme et Margot laissa la vache avec la
vieille femme et retourna dans la forêt.

Elle aperçut bientôt l'aiguille dans l'herbe, la ramassa et revint en courant, mais la femme et la vache n'étaient plus sous l'arbre.

« Peut-être que la vieille femme avait trop grand'faim

et qu'elle s'en est allée 5 avec la vache chez ma tante, » pensa Margot et elle se dirigea vers la maison.

La tante vit venir l'en- 10 fant et ouvrit la porte.

« Où est Blancheneige ? » dit-elle.

« Est-il possible que Blancheneige ne soit pas 15 ici ? » dit Margot. « J'ai trouvé une vieille femme dans la forêt, elle avait perdu son aiguille à tricoter, et je suis retournée dans la forêt chercher l'aiguille. Est-ce que la vieille femme n'a pas ramené la vache ici ? »   20

« Non, je crains qu'elle n'ait volé la vache. Re-

tournez dans la forêt, et si vous ne pouvez pas trouver la vache, ne revenez jamais 25 chez moi, » dit la tante.

La pauvre Margot retourna dans la forêt. Il faisait très noir. Bientôt elle vit un grand feu et près du feu elle aperçut 30 Blancheneige. Et de tout petits hommes et de toutes petites femmes étaient assis dans l'herbe et mangeaient.

La vieille femme était là aussi en train de traire la vache.   35

« Donnez-nous encore du lait, » dit l'un des petits hommes, « nous n'avons pas souvent de si bon lait; c'est une très belle vache, » ajouta-t-il en regardant Blancheneige.

5   « Ce sont des elfes, » pensa Margot et elle s'assit sous un arbre pour les regarder.

Les petits hommes et les petites femmes mangèrent et burent longtemps.

« Il faut que nous partions, » dit enfin la vieille femme;
10 « c'est dommage que nous ne puissions pas rester plus longtemps.   Mais avant de partir il faut que nous donnions un cadeau à la petite fille.   Il ne faut pas qu'elle croie que nous avons volé le lait, » et elle prit un grand mouchoir, mit quelque chose dedans, et l'attacha à une
15 des cornes de Blancheneige.

Puis les petits hommes et les petites femmes disparurent dans la forêt et Margot ramena vite Blancheneige à la maison.

« Tante, tante, » cria-t-elle, « les elfes avaient volé
20 Blancheneige et l'ont traite. »

« Les elfes ! » cria la tante avec surprise.

« Oui, les elfes, je les ai vus dans la forêt. »

« En tout cas, je suis contente que vous l'ayez retrouvée. Mais qu'est-ce que c'est que cela ? » dit la tante, en dé-
25 tachant le mouchoir qui pendait à la corne de Blancheneige. Elle l'ouvrit et y trouva cinquante pièces d'or.

« Oh, ce sont de très bons elfes, » dit la tante.

Avec les pièces d'or elle acheta un joli champ et deux vaches rouges.   Blancheneige et les deux vaches rouges
30 mangent l'herbe dans le champ et Margot ne va plus dans la forêt, mais elle dit souvent à Blancheneige: « Je voudrais bien revoir la vieille femme et les elfes. »

QUESTIONNAIRE XLVI

1. Avec qui demeurait la petite Margot?
2. Pourquoi devait-elle aller si souvent dans la forêt?
3. Qui rencontra-t-elle un soir?
4. Pourquoi la vieille femme pleurait-elle à chaudes larmes?
5. Que demanda-t-elle à Margot?
6. Pourquoi consentit-elle à retourner dans la forêt?
7. Que pensa-t-elle, quand elle ne retrouva pas Blanche-neige?
8. Que dit-elle à sa tante?
9. La tante était-elle contente?
10. Qu'est-ce que Margot aperçut alors dans la forêt?
11. Qu'est-ce que les elfes pensèrent de la vache?
12. Que firent-ils pour récompenser Margot?
13. Pourquoi la tante fut-elle surprise?
14. Que trouva-t-elle dans le mouchoir?
15. Comment dépensa-t-elle les pièces d'or?
16. Voudriez-vous bien rencontrer des elfes?
17. Si vous aviez cinquante pièces d'or, comment les dépenseriez-vous?
18. Aimez-vous à tricoter?

EXERCICE 46

A. *Étudiez le subjonctif d'émotion;   la synopsis des verbes* croire, mettre.

B. *Complétez les phrases suivantes:*

1. Nous avons peur que ——.   3. Ils regrettent que ——.
2. Je suis bien aise que ——.   4. C'est dommage que ——.
          5. Est-elle surprise que ——?

C. *Employez en phrases:*

croit	permettez
permets	cru
promis	promettriez
croyiez	mise
mettra	aurais permis

D. *Margot raconte l'histoire de Blancheneige.*

E. *Traduisez:* 1. I regret that Margot has neither father nor mother.   2. I think that she lives with her aunt.   3. It is necessary for her to go every day to the forest.   4. It is fortunate that she has met an old woman seated under a tree. 5. Do you believe she can find the knitting needle?   6. I hope she will look for it.   7. We fear that the old lady has been too hungry and has gone away with the cow.   8. Margot must bring back the cow.   9. We are glad that she returned to the forest and found the cow.   10. Blancheneige is the finest cow we have ever seen.

47. Longs-bras, Longues-jambes et Œil-de-faucon

Il y avait une fois un petit garçon qui s'appelait Jacques. Jacques était un bon petit garçon, très poli et très obligeant, mais comme son père et sa mère étaient pauvres, Jacques n'avait pas pu aller à l'école pour ap-
5 prendre à lire et à écrire. Il devait aller tous les jours avec son père travailler dans la forêt.

Jacques grandit et devint un jeune homme. Un jour il dit à son père: « Mon frère Henri est maintenant grand et peut vous aider, je voudrais aller à la ville cher-
10 cher du travail. »

« Allez, » dit le père et Jacques partit pour la ville. Il marcha longtemps; comme il se sentait bien fatigué, il s'assit sous un arbre.

Une voiture toute dorée passa. Dans la voiture une
15 jeune fille d'une beauté merveilleuse était assise. Elle avait de grands yeux bleus et des cheveux d'or.

« C'est la princesse, notre charmante princesse, » s'écrièrent les gens qui se trouvaient là. La princesse sourit gracieusement et la voiture continua son chemin.
20   « Où demeure la princesse? » demanda Jacques.

« Le roi a un grand palais en ville et il y demeure avec la princesse, » lui répondit-on.

« La princesse est très belle, je veux la servir, » dit Jacques, et il alla frapper à la porte du palais.

Un serviteur vint ouvrir la porte. « Que voulez-vous, jeune homme ? » demanda-t-il.

« Je voudrais servir le roi, » dit Jacques. Le serviteur 5 entra dans la salle, où se tenait le roi et lui dit: « A la porte du palais se trouve un jeune homme qui désire entrer au service de Votre Majesté. »

« Qu'il vienne, » dit le roi et Jacques entra dans la salle où se trouvait le roi. 10

« Que voulez-vous, jeune homme ? » dit le roi.

« Je voudrais servir Votre Majesté. »

« Que pouvez-vous faire ? » demanda le roi.

« N'importe quoi, » dit Jacques, « mais je préférerais servir la princesse. » 15

« Vous voudriez servir la princesse, » dit le roi en souriant. « Eh bien, vous la servirez. La princesse avait un collier de perles merveilleux, il est tombé dans la Mer Rouge et repose maintenant au fond de la mer. Allez à la Mer Rouge chercher le collier et si vous me 20 le rendez, je vous donnerai beaucoup d'argent. »

« J'irai, » dit Jacques tout heureux et il partit.

QUESTIONNAIRE XLVII

1. Décrivez le petit garçon de l'histoire.
2. Pourquoi ne savait-il pas lire et écrire ?
3. Que devait-il faire tous les jours ?
4. Que dit-il à son père ?
5. Qui vit-il en chemin ?
6. Que pensa-t-il d'elle ?
7. Comment montra-t-elle qu'elle était aimable ?
8. Pourquoi Jacques désira-t-il savoir où demeurait la princesse ?
9. Où alla-t-il ?
10. Que fit le serviteur ?
11. Jacques préféra-t-il servir le roi ou la princesse ?

12. Entra-t-il au service de Sa Majesté?

13. Quelle commission le roi lui donna-t-il à faire?

14. Pourquoi Jacques était-il heureux?

15. Aimeriez-vous à aller chercher un collier dans la Mer Rouge?

EXERCICE 47

A. *Étudiez les verbes suivis de l'infinitif sans préposition; la synopsis des verbes écrire, lire.*

B. *Complétez les phrases, en employant des infinitifs:* 1. Nous espérons ——. 2. L'enfant sait ——. 3. Elle aime mieux ——. 4. Les petits garçons viennent ——. 5. Vous pouvez ——.

C. *Écrivez dix phrases, en employant* écrire *et* lire.

1. *au présent*
2. *à l'imparfait*
3. *au conditionnel*
4. *au passé indéfini*
5. *au présent du subjonctif*

D. *Racontez la première partie de cette histoire.*

E. *Écrivez le conte de Cendrillon, en suivant ce plan:*

1. Le père de Cendrillon épousa une femme, qui avait deux filles. 2. Cendrillon faisait tout le travail de la maison. 3. Elle allait souvent s'asseoir au coin de la cheminée dans les cendres. 4. Le fils du roi donna un bal; les belles-sœurs de Cendrillon furent invitées. 5. Cendrillon les aida à préparer leurs robes. 6. Sa marraine, une fée, lui donna une belle voiture toute dorée, de beaux habits et une paire de pantoufles de verre. 7. Au bal, le prince devint amoureux d'elle; elle partit sans lui dire son nom. 8. Le lendemain, au bal, elle s'enfuit en laissant tomber une pantoufle. 9. Le prince fit publier à son de trompe qu'il épouserait celle dont le pied serait assez petit pour pouvoir porter la pantoufle. 10. Les sœurs ne purent pas faire entrer leur pied dans la pantoufle; Cendrillon y réussit; puis elle montra l'autre pantoufle. 11. Elle épousa le prince et pardonna à ses sœurs.

F. *Traduisez:* 1. My father and my mother were very poor. 2. My brother James could not go to school. 3. He did not know how to read and write. 4. He went to look for work in

the city.   5. On the way he saw a golden carriage passing.
6. He heard the people cry, "It is our charming princess!"
7. He desired to serve the king.   8. But he preferred to enter
the service of the princess.   9. He dared not approach the king.
10. "Cause him to enter!" said the king.

48. Longs-bras, Longues-jambes et Œil-de-faucon
(suite)

Bientôt il vit un grand homme.   Cet homme avait les
jambes très longues et courait très vite.

« Pourquoi courez-vous si vite? » dit Jacques.

« Je suis Longues-jambes, et je peux faire cent milles
par minute. »   5

« Voulez-vous venir avec moi? » dit Jacques, « je vais
chercher un collier dans la Mer Rouge.   Vous m'aiderez
à y arriver. »

« Oui, » dit Longues-jambes, « je veux bien. »   Et
Jacques et Longues-jambes continuèrent leur chemin.   10

Bientôt ils arrivèrent dans un bois.   Jacques aperçut
alors un autre homme.   Cet homme avait les bras très
longs.

« Comment vous appelez-vous? » dit Jacques.

« Je suis Longs-bras.   Voyez-vous ce nid sur ce grand 15
arbre? »   Et Longs-bras étendit le bras, saisit le nid
et l'offrit à Jacques.

« Voulez-vous venir avec moi? » dit Jacques, « je vais
chercher un collier dans la Mer Rouge. »

« Oui, je veux bien, » dit Longs-bras, et Jacques, 20
Longues-jambes et Longs-bras continuèrent leur chemin.

Bientôt ils rencontrèrent un homme gros et court.
L'homme était assis sur une pierre, la tête dans ses
mains.

« Le pauvre homme, » dit Jacques, « il est aveugle. » 25

« Non, » dit l'homme, « je ne suis pas aveugle, au

contraire, j'ai de très bons yeux, je peux voir à cent milles de distance, je suis Œil-de-faucon. »

« Voulez-vous venir avec moi ? » dit Jacques, « je vais chercher un collier dans la Mer Rouge. »

5 « Oui, » dit Œil-de-faucon, « je veux bien. »

Et Jacques, Longs-bras, Longues-jambes et Œil-de-faucon continuèrent à marcher et arrivèrent bientôt sur les bords de la Mer Rouge. Œil-de-faucon vit immédiatement le collier au fond de la mer.

10 « Voilà le collier, » dit-il.

Longs-bras étendit le bras et retira le collier de l'eau.

Longues-jambes prit Jacques avec le collier sur ses épaules et ils ne tardèrent pas à arriver devant le palais.

C'était l'anniversaire de la princesse et le roi donnait 15 une grande fête.

Jacques entra dans la salle où le roi et la princesse étaient assis.

« Voici un cadeau pour la princesse, » dit-il.

« Ah, mon collier, mon beau collier, se peut-il que vous 20 l'ayez trouvé ? » cria la princesse.

« Je suis allé le chercher au fond de la Mer Rouge, » dit Jacques et il donna le collier à la princesse.

« Jacques, vous êtes un garçon merveilleux, » dit le roi, « je vais vous donner un palais et vous allez épouser 25 la princesse. »

Jacques épousa la princesse et ils allèrent demeurer dans un magnifique palais où ils vécurent heureux, et Longs-bras, Longues-jambes et Œil-de-faucon habitèrent dans le palais avec eux.

QUESTIONNAIRE XLVIII

1. Qui est-ce que Jacques vit bientôt ?
2. L'invita-t-il à l'accompagner ?
3. Qui rencontrèrent-ils dans le bois ?
4. Pourquoi s'appelait-il Longs-bras ?

5. Comment montra-t-il ce qu'il pouvait faire ?

6. Comment l'homme gros et court s'appelait-il ?

7. A quelle distance pouvait-il voir ?

8. Qui vit le collier dans la Mer Rouge ?

9. Qui est-ce qui le retira ?

10. Comment Jacques arriva-t-il au palais du roi ?

11. Pourquoi le roi donnait-il une grande fête ?

12. La princesse fut-elle surprise ?

13. Comment le roi récompensa-t-il Jacques ?

14. Que devinrent ses trois amis ?

15. Demandez à votre maîtresse entre quels continents la Mer Rouge est située.

EXERCICE 48

A. *Étudiez les verbes qui prennent* à + *infinitif; la synopsis des verbes* apercevoir, tenir.

B. *Complétez les phrases, en employant des infinitifs:* 1. Les enfants se mettent ——. 2. Je ne tarderai pas ——. 3. Nous avons appris ——. 4. Ne consentez pas ——. 5. Il réussit ——.

C. *Employez en phrases:*

aperçut	tient	recevez
tenu	reçoive	tiennent
apercevait	tiendrai	reçue
	tint	

D. *Jacques raconte comment il trouva le collier.*

E. *Écrivez le conte du « Chat botté », en suivant ce plan:*

1. Un meunier mourut, en laissant un chat pour tout héritage au plus jeune de ses fils. 2. Le Chat encouragea le jeune homme et lui demanda de lui faire une paire de bottes, et de lui donner un sac. 3. Le Chat prit un lapin dans son sac, et le présenta au roi, en lui disant que c'était un cadeau de son maître, le marquis de Carabas. Il continua à lui présenter des lapins et des perdrix. 4. Le roi et la princesse devaient aller se promener en voiture près de la rivière. En suivant le conseil du Chat, le marquis se baigna dans la rivière. 5. Le Chat cria que son maître se noyait; les serviteurs du roi lui appor-

tèrent un des plus beaux habits du roi.   6. La princesse devint amoureuse du marquis.   7. Le marquis monta dans la voiture. 8. Les paysans, qui coupaient le blé, obéissant aux ordres du Chat, dirent au roi que tous les champs étaient au marquis. 9. Le Chat arriva au château d'un Ogre. Celui-ci se changea en lion, puis en une souris, que le Chat mangea.   10. Le Chat reçut le roi en lui souhaitant la bienvenue.   11. Le roi fut charmé des bonnes qualités du marquis et l'invita à devenir son gendre.   12. Le Chat devint grand seigneur.

F. *Traduisez:* 1. James commenced to walk towards the Red Sea.   2. He invited Long-Legs to accompany him. 3. The latter was not slow in accepting.   4. He decided to look for the lost necklace.   5. He aided James in finding it. 6. Long-Arms succeeded in seizing the nest. 7. Falcon-Eye will consent to come with James.   8. They begin to look for the necklace.   9. James will insist on recompensing his friends. 10. They will continue to live with him in the palace.

49. La porte ouverte

Madame Augier était veuve et avait quatre petits enfants. L'aîné, Frédéric, avait huit ans.

Un soir la pauvre mère n'avait pas de pain et les enfants avaient faim. Alors la mère fit cette prière: « Notre
5 Père, qui êtes aux cieux, donnez-nous notre pain aujourd'hui. »

Elle avait à peine fini de prononcer ces paroles, que Frédéric lui dit: « Mère, est-ce que Dieu n'a pas une fois envoyé des corbeaux porter du pain à un pauvre
10 homme ? »

« Oui, » dit la mère.

« Eh bien, » dit Frédéric, « il peut nous envoyer des corbeaux à nous aussi. Je vais ouvrir la porte, afin de leur permettre d'entrer. » Et il courut à la porte et
15 l'ouvrit.

Un moment après le maire de la ville passa devant

la maison et vit la porte ouverte. Il aperçut la mère
avec les enfants dans la chambre et il entra.

« Bonne femme, » dit-il, « pourquoi votre porte est-elle
ouverte si tard ? »

Madame Augier mit sa main sur la tête de Frédéric 5
et dit:

« Mon petit Frédéric vient d'ouvrir la porte, monsieur,
afin que les corbeaux puissent voler dans la maison et
nous apporter du pain. »

Le maire était tout 10
vêtu de noir, il portait un
long habit noir et un
grand chapeau noir.

« Ah, » dit-il en riant,
« ce sera moi le corbeau. 15
Venez avec moi, Frédé-
ric, je vais vous montrer
où est le pain. »

Le maire emmena
Frédéric chez lui, il mit 20
deux pains et du beurre
dans un panier et le
donna à Frédéric, qui revint en courant à la maison.
Quand les enfants virent le pain, ils cessèrent de pleurer
et commencèrent à chanter en dansant autour de la table. 25
La mère donna une grande beurrée à chacun d'eux.

Quand ils eurent mangé, Frédéric s'agenouilla et levant
les yeux au ciel, il dit:

« Notre Père, qui êtes aux cieux, nous vous remercions
de nous avoir envoyé le pain. » 30

QUESTIONNAIRE XLIX

1. Combien d'enfants Madame Augier avait-elle ?
2. Quel âge avait l'aîné ?
3. Pourquoi la mère était-elle triste ?

4. Que fit-elle?
5. Que demanda Frédéric à sa mère?
6. Pourquoi ouvrit-il la porte?
7. Qui passa?
8. Qu'est-ce qu'il aperçut?
9. Quelle question posa-t-il à la pauvre mère?
10. Pourquoi le maire ressemblait-il à un corbeau?
11. Que dit-il à Frédéric de faire?
12. Que lui donna-t-il?
13. Pourquoi les enfants cessèrent-ils de pleurer?
14. Comment Frédéric montra-t-il sa gratitude?
15. Comment s'appelle l'homme à qui les corbeaux portèrent le pain?
16. Son histoire se trouve-t-elle dans l'Ancien ou dans le Nouveau Testament?

EXERCICE 49

A. *Étudiez les verbes qui prennent* de + *infinitif; la synopsis des verbes* rire, pouvoir.

B. *Complétez les phrases, en employant des infinitifs:* 1. Je vous prie ——. 2. Voulez-vous me permettre ——. 3. Nous étions sur le point ——. 4. Mon ami a manqué ——. 5. J'avais essayé ——.

C. *Employez les verbes* rire, pouvoir *en phrases:*

1. *au présent de l'indicatif*   3. *à l'imparfait*
2. *au conditionnel*   4. *au passé indéfini*
                5. *au présent du subjonctif*

D. *La mère raconte l'histoire.*

E. *Écrivez le conte du « Petit Poucet », en suivant ce plan:*

1. Un pauvre bûcheron avait sept enfants; le plus jeune n'était guère plus gros que le pouce, mais il était le plus sage de tous. 2. Le père était si pauvre qu'il se décida à perdre ses enfants dans la forêt; le Petit Poucet, qui entendit ce que son père disait, remplit ses poches de cailloux blancs. Il les laissa tomber tout le long du chemin, et par ce moyen put ramener ses frères à la maison. 3. Le père les conduisit une deuxième fois dans le bois; le Petit Poucet laissa tomber de

petits morceaux de pain que les oiseaux mangèrent.   4. Les
enfants perdus arrivèrent à la maison d'un ogre, dont la femme
les cacha sous le lit.   5. L'ogre avait sept petites filles, qui
dormaient dans la même chambre que les sept frères.   6. Pendant la nuit l'ogre entra dans la chambre, prit ses filles pour les
jeunes garçons et leur coupa la gorge.   7. Les frères se sau-
vèrent.   L'ogre mit ses bottes de sept lieues pour attraper les
petits garçons.   Il se trouva fatigué et se coucha à terre.   8. Le
Petit Poucet lui retira ses bottes et les mit.   9. Il retourna
à la maison de l'ogre et força la femme à lui donner tout l'or
et tout l'argent de l'ogre.   10. Il porta toutes les richesses
de l'ogre à la maison de son père, où il fut reçu avec beaucoup
de joie.

F. *Traduisez:* 1. Madame Augier's children were accustomed
to make this prayer every day.   2. The mother promised to
give them bread.   3. They did not cease to ask for the bread.
4. She advised them to wait a little.   5. They tried to be
patient.   6. She ordered them to open the door to let the
ravens enter.   7. The mayor was surprised to see the door
open.   8. He said to Frederick, "Have the goodness to come
with me."   9. He did not fail to give the boy some bread and
butter.   10. The children were happy to receive a large slice
of bread and butter.

50. Le trou dans la digue

Pierre demeurait avec sa mère et sa sœur dans un petit
village de Hollande au bord de la mer.

Un jour sa mère lui dit: « Pierre, ne pouvez-vous pas
porter ce pain au pauvre aveugle qui demeure à un mille
d'ici près de la digue ? Sa femme est morte, il est très 5
âgé et il n'a pas beaucoup à manger, mais allez vite et
ne restez pas trop longtemps. »

« Certainement, mère, » dit Pierre, qui prit le panier
et partit.

C'était un beau jour d'automne et Pierre marcha vite 10
et arriva bientôt devant la cabane du vieil aveugle.

Il ouvrit la porte et entra dans la chambre où le vieil homme était assis.

« Qui est là ? » demanda le vieillard.

« C'est moi, » répondit-il, « Pierre Brinker.   Ma mère a
5 cuit du pain aujourd'hui et voilà un pain pour vous. »

« C'est très gentil d'avoir pensé à moi; du pain frais, ce sera délicieux, remerciez votre mère de ma part. »

Pierre mit le pain sur la table, resta quelque temps à causer avec le vieil homme et partit pour retourner à
10 la maison.

Mais le temps avait changé.   Le ciel était noir et le vent soufflait.

« Il fait bien froid et ma veste est légère, » se dit Pierre, « je vais courir. »

15   Tout à coup il aperçut dans le sable une petite flaque d'eau !   « D'où peut venir cette eau ? » se dit Pierre. « Par un trou dans la digue peut-être ?   Je vais le chercher. »   Et il sauta sur la digue et chercha.   Enfin il trouva un trou, un tout petit trou.

20   « Maintenant ce trou est petit, » dit Pierre, « mais

bientôt il s'agrandira et puis l'eau inondera le village et alors nous serons tous perdus.   Il me faut
25 chercher une pierre pour le boucher. »   Il eut beau chercher, il ne put pas trouver de pierre.

Alors il retourna au trou qui s'était déjà
30 agrandi.   « Qu'est-ce que je vais faire ? » se demanda-t-il et il réfléchit un moment.   « Oh, je sais, » dit-il et il mit son bras dans le trou: « ainsi
35 l'eau ne peut plus passer, mon bras est assez gros. »

Il faisait très froid, mais malgré cela Pierre resta assis avec le bras dans le trou durant la nuit entière.

Le lendemain matin sa mère s'était levée de bonne heure, et debout sur le seuil de la porte regardait au loin si elle ne le voyait pas venir. 5

« Pierre est certainement resté chez le vieil aveugle, » dit-elle, « mais l'orage est passé et il va bientôt rentrer. »

Bientôt elle vit apparaître un groupe de gens, au milieu duquel elle aperçut un grand homme qui portait le petit Pierre sur son épaule. 10

« Madame, nous vous ramenons votre fils, » dit-il. « Il a trouvé un trou dans la digue et il est resté assis toute la nuit avec son bras dans le trou. Il a sauvé le pays, » et l'homme déposa Pierre dans les bras de sa mère. 15

Le prince apprit ce que Pierre avait fait. Il lui donna beaucoup d'argent et avec cet argent Pierre acheta une jolie maison pour sa mère et sa petite sœur.

Pierre est mort depuis plus de deux cents ans, mais dans le village de Hollande, où il demeurait, se trouve 20 une belle statue d'un petit garçon avec le nom de Pierre Brinker sur le piédestal.

Les parents viennent souvent la montrer à leurs enfants et ils leur racontent l'histoire de Pierre Brinker, et comment il sauva son pays d'une terrible calamité. 25

Vouloir c'est pouvoir.

QUESTIONNAIRE L

1. Comment s'appelle notre jeune héros?
2. Où demeurait-il?
3. Qu'est-ce que sa mère lui dit de faire?
4. Fut-il content d'aller chez le pauvre aveugle?
5. Resta-t-il longtemps chez lui?
6. Qu'aperçut-il en revenant à la maison?

7. De quoi avait-il peur?
8. Pourquoi ne boucha-t-il pas le trou avec une pierre?
9. Pourquoi ne courut-il pas à la ville demander du secours?
10. Comment boucha-t-il le trou?
11. Qui est-ce que la mère vit venir le lendemain matin?
12. Que dit le grand homme?
13. Que fit le prince pour Pierre?
14. Comment le village montra-t-il sa gratitude?
15. Que font les parents maintenant?
16. Aimez-vous votre patrie?

EXERCICE 50

A. *Employez en phrases:* leur, le mien, vos, lui, celui.

B. *Conjuguez:* 1. Je recevrai un cadeau de mon oncle.
2. Je pouvais écrire la lettre.   3. J'ai fait un bon dîner.   4. Je
me suis moqué de lui.   5. Mon ami veut que je vienne tout
de suite.

C. *Remplacez les pronoms en italiques par les noms convenables:*

1. Nous *la leur* donnerons.   3. Écrivez-*les-leur*.
2. Il *le lui* portait.   4. Je vous *les* vends.
         5. Voulez-vous *leur en* apporter?

D. *Exprimez en français:* 86, 214, 592, 675, 896.

E. *Écrivez la synopsis des verbes* partir, s'en aller.

F. *Mettez les phrases suivantes à tous les temps du subjonctif:*
1. Que je (aller) à la ville.   2. Qu'il (apercevoir) son maître.
3. Que nous (sortir) de la maison.   4. Que vous (comprendre)
le mot.   5. Qu'il (remplir) le pot au lait.

G. *Un père raconte l'histoire de Pierre à ses fils au pied de la
statue.*

H. *Essayez de composer un conte original.*

I. *Traduisez:* 1. When I was a little boy, I lived with my
mother and sister in a little village near the sea.   2. One day
my mother sent me to carry some bread to an old blind man.
3. I was glad to take the basket and set out.   4. The old man
thanked me for having brought the bread.   5. While returning

home I noticed a little pool of water in the sand.   6. I was surprised to find a hole in the dike.   7. I looked in vain for a stone to stop up the hole.   8. I decided to put my arm into the hole.   9. The next morning a group of people found me and carried me to my mother's.   10. I was happy to have saved my country from a terrible calamity.

LIST OF ABBREVIATIONS

adj.	adjective	*part.*	participle
def.	definite	*pl.*	plural
f.	feminine	*prep.*	preposition
fut.	future	*pres.*	present
imp.	imperfect	*pron.*	pronoun
imv.	imperative	*sg.*	singular
ind.	indicative	*m.*	masculine
	sub.	subjunctive	

VOCABULAIRE FRANÇAIS–ANGLAIS

A

a, *3d sg. pres. ind.* **avoir,** has
à to, at, in
aboie, *3d sg. pres. ind.*
  aboyer, barks
aboyer (aboi- *before mute*
  syllables) bark
une **absence** absence
un **accent** accent
  accentuer accentuate, ac-
    cent
  accepter accept
  accompagner accompany
un **accord** agreement
  accorder grant; **s'—** agree
  acheter (achèt- *before mute*
    syllables) buy
un **adjectif** adjective
  admirable admirable
  admirer admire
  adoucir sweeten, soften
un **adverbe** adverb
une **affaire** affair; **les —s** busi-
    ness
  affirmati-f, -ve affirmative
  affreusement terribly,
    frightfully
  affreu-x, -se frightful,
    hideous
  afin: — de in order to;
    — que in order that, so
    that
l' **âge** *m.* age
  âgé aged, old
s' **agenouiller** kneel
  agir act
s'**agrandir** become larger, en-
    large

ah! ah!
ai *1st sg. pres. ind.* **avoir**
l' **aide** *f.* aid, help
  aider aid, help
  aigu, aiguë sharp, acute
une **aiguille** needle; **— à tri-
    coter** knitting needle
une **aile** wing
  aimable amiable, lovable,
    kind
  aimer like, love; **— mieux**
    prefer
  aîné eldest
  ainsi thus; **— que** as well as
l' **air** *m.* air; look, appearance
  aise glad, happy; **j'en suis
    bien —** I am very glad
    of it; **— f.** ease; **mal à
    son —** ill at ease, un-
    comfortable
  ajouter add
  **aller (—, allant, allé, vais,
    allai,** *fut.* **irai,** *pres. ind.*
    **vais, vas, va, allons,
    allez, vont;** *pres. sub.*
    aille) go; **s'en —** go
    away
  allons! come! now then!
  allumer light
  alors then; **— que** when
une **alouette** lark
un **alphabet** alphabet
  amener (amèn- *before mute*
    syllables) bring, fetch
  américain American; **un
    Américain, une Améri-
    caine** American
un **ami, une amie** friend
  l'**amour** *m.* love

amoureu-x, -se in love, fond

s' amuser enjoy oneself

un an year

un âne donkey

anglais English

un animal animal

une année year

un anniversaire anniversary, birthday

annoncer (annonç- *before* a *or* o) announce

un annulaire ring finger

un antécédent antecedent

antérieur anterior

apercevoir (—, apercevant, aperçu, aperçois, aperçus) perceive, notice

aperçoit *3d sg. pres. ind.* apercevoir

une apostrophe apostrophe

apparaissent *3d pl. pres. ind.* apparaître

apparaître (—, apparaissant, apparu, apparais, apparus) appear

appeler (appell- *before mute syllables*) call; s'— be called, named

appliqué diligent, attentive

apporter bring

apprendre (—, apprenant, appris, apprends, appris) learn

s' approcher (de) approach

après after, afterwards; d'— according to

un après-midi, une — afternoon

un arbre tree; — aux bonbons candy tree

l' argent *m.* silver, money

s' arrêter stop

arriver arrive, happen

un article article

un *or* une artiste artist

asseoir (—, asseyant, assis, assieds, assis) seat; s'— sit down

assez enough

une assiette plate

assister assist; — à be present at

assurer assure

attacher attach

attelé (de) drawn (by)

attendre wait for

une attention attention; faire — de take care to, make sure to; faire — à pay attention to

attraper catch

au (à + le) to the, at the

une auberge inn

un aubergiste innkeeper

aucun any; ne . . . — no, not any

au-dessus above

un auditeur hearer, listener

aujourd'hui to-day

aurai *1st sg. fut. ind.* avoir

aussi also, too; accordingly, therefore

aussitôt immediately, at once; — que as soon as

autant as much, as many

un automne autumn, fall

autour de around, about

autre other

autrui others

aux (à + les) to the

auxiliaire auxiliary

avait *3d sg. imp. ind.* avoir had

s' avancer (avanç- *before* a *or* o) advance, proceed

avant before; — que before; en — de in front of

avec with

l' avenir *m.* future; à l'— hereafter, henceforth

une aventure adventure

aveugle blind

avez, *2d pl. pres. ind.* avoir have

avoir (—, ayant, eu, ai,

eus; *fut.* **aurai;** *pres. ind.*
**ai, as, a, avons, avez,
ont;** *pres. sub.* **aie)** have;
il y a there is, there are;
qu'avez-vous? what is
the matter (with you)?
il eut beau chercher he
looked in vain

avons *1st pl. pres. ind.* **avoir**

ayez *2d pl. imv.* **avoir**

B

la **bague** ring
se **baigner** bathe
le **baiser** kiss
le **bal** ball, dance
le **banc** bench
le **bandit** bandit, robber
la **barbe** beard
le **bas** bottom; stocking; **en
— ** downstairs
bat, *3d sg. pres. ind.* **battre,**
beats
le **bateau** boat
bâtir build
le **bâton** stick
battre beat, thresh *(grain)*
beau, bel *(m. linking form),*
belle beautiful, fine
beaucoup (very) much,
many
la **beauté** beauty
le **bec** beak
belle *f. of beau*
la **belle-mère** mother-in-law,
stepmother
la **belle-sœur** sister-in-law,
stepsister
bénir bless
le **berceau** cradle
bercer rock
le **berger** shepherd
le **besoin** need; **au —** in case
of need; **avoir —** de
need
la **bête** beast

le **beurre** butter
la **beurrée** slice of bread and
butter
bien well, quite, very, good;
— que although
bientôt soon
bienvenu welcome; **la —e**
welcome
blanc, blanche white
blanchir make white, whiten
le **blé** wheat
bleu blue
blond blond
le **bluet** cornflower
**boire (—, buvant, bu, bois,
bus)** drink
le **bois** wood, forest
boivent *3d pl. pres. ind.*
boire
bon, -ne good
le **bonbon** bonbon, candy
le **bonheur** happiness, good
fortune
bonjour good morning
le **bonnet** cap
bonsoir good evening
la **bonté** goodness
le **bord** shore, bank
la **botte** boot
la **bouche** mouth
boucher stop up
bouclé curly
le **boulanger** baker
la **boulangerie** bakery
le **bout** end, extremity
la **bouteille** bottle
la **branche** branch
le **bras** arm
briller shine
le **brin** blade *(of grass)*
la **brosse** brush, eraser
brouter browse, graze
le **bruit** noise
brûler burn
le **bûcheron** woodcutter
burent *3d pl. past def.*
boire

C

la **cabane** cabin, cottage, hut
cacher hide, conceal
le **cadeau** gift, present
le **café** coffee
la **cage** cage
le **caillou** pebble
la **calamité** calamity
car for
caractéristique characteristic
cardinal cardinal
le **carnet** memorandum book, notebook
le **cas** case; **en tout —** in any case
casser break
la **cause** cause; **à — de** on account of
causer chat, talk
ce, cet (*m. linking form*), **cette** this, that; it; **ce que** what
cela that; **c'est —** that is it, that will do
célèbre celebrated
celle this, that, the one; **celle-ci** this, this one, the latter; **celle-là** that one, the former
celui this, that, the one; **celui-ci** this one, the latter
la **cendre** ashes
Cendrillon Cinderella
cent hundred
cependant meanwhile
certain certain, sure
certainement certainly
ces these, those
la **cesse** ceasing
cesser cease, quit, stop
cette this
ceux those, they
chacun each one
la **chaise** chair

la **chambre** room
le **champ** field
changer (**change-** *before* **a** or **o**) change
la **chanson** song
chanter sing
le **chanteur,** la **chanteuse** singer
le **chapeau** hat
le **chaperon** hood; **le Petit Chaperon Rouge** Little Red Riding-hood
chaque each, every
charmant charming
charmer charm
chasser chase, discharge
le **chat** cat; **le Chat Botté** Puss-in-Boots
le **château** castle
chaud warm, hot; **il fait — ** it is hot; **j'ai —** I am hot
le **chemin** way
la **cheminée** chimney, fireplace
cher, chère dear
chercher look for; **aller —** go and look for, go and get, fetch
le **cheval** horse
le **cheveu** hair
la **chèvre** goat
le **chevreau** kid
chez to (at) the house (shop) of; **— le boulanger** to (at) the baker's
le **chien** dog
choisir choose
la **chose** thing; **quelque —** *m.* something
le **ciel** sky, heaven
le **cinéma** moving picture show
cinq five
cinquante fifty
cinquième fifth
circonflexe circumflex
le **cirque** circus
la **classe** class

classique classic

le clin (d'œil) twinkling (of an eye)

la clochette little bell

le cochon pig

le cœur heart

le coin corner

la colère anger; en — in a passion, angry

le collier necklace

combien (de) how much, how many

comme how, like, as

le commencement beginning

commencer (commenç- before a or o) commence, begin

comment how, what

la commission errand

la comparaison comparison

comparati-f, -ve comparative

le complément complement, object (grammar)

complet, complète complete

compléter (complèt- before mute syllables) complete

composer compose

la composition composition

comprendre (—, comprenant, compris, comprends, compris; pres. ind. 3d pl. comprennent) understand; je n'y comprends rien I know nothing at all about it

compter count

le concert concert

le conditionnel conditional

conduire (—, conduisant, conduit, conduis, conduisis) conduct, lead

conjoncti-f, -ve conjunctive

la conjonction conjunction

la conjugaison conjugation

conjuguer conjugate

connaît 3d sg. pres. ind. connaître

connaître (—, connaissant, connu, connais, connus) know, be acquainted with

la conscience conscience

le conseil advice

conseiller advise

consentir (—, consentant, consenti, consens, consentis) consent

consoler console

la consonne consonant

construire (—, construisant, construit, construis, construisis) construct, build, form

le conte tale, story

content glad, contented, satisfied

le continent continent

continuer continue

contracter contract

la contraction contraction

le contraire contrary, opposite; au — on the contrary

contrarier trouble, worry

convenable suitable, proper

convenir (—, convenant, convenu, conviens, convins) suit, agree; il convient it is fitting

la conversation conversation

la copie copy; (in school) paper

copier copy

le coquelicot poppy

le coquin rascal, scamp

le corbeau raven, crow

la corne horn

le cornet paper cone, sack

le corps body

correctement correctly

la correction correction

corriger (corrige- before a or o) correct

se **coucher** go to bed; **couché** lying
coudre (—, cousant, cousu, couds, cousis) sew
couler flow
la **couleur** color
le **coup** blow; **tout à —** suddenly
couper cut
la **cour** yard, court
courir (—, courant, couru, cours, courus) run
court short
court, *3d sg. pres. ind.* **courir,** runs
le **cousin,** la **cousine** cousin
le **couteau** knife
la **coutume** custom; **avoir — de** be in the habit of
couver brood on, sit on
couvrir (—, couvrant, couvert, couvre, couvris) cover
la **craie** chalk
craindre (—, craignant, craint, crains, craignis) fear
la **crainte** fear
crier cry, shout
croire (—, croyant, cru, crois, crus) believe, think
cueillir (—, cueillant, cueilli, cueille, cueillis) pick, gather
cuire (—, cuisant, cuit, cuis, cuisis) cook, bake
la **cuisine** kitchen
le **cuisinier** cook
cuit *past part.* **cuire**
curieu-x, -se curious

D

la **dame** lady
dans in, into; out of
danser dance
la **date** date

de of, with, from
se **débarrasser (de)** get rid (of)
debout standing; **se tenir — stand**
décembre *m.* December
décidément decidedly
se **décider (à)** decide, resolve
la **déclaration** declaration
déclarer declare
décourager (décourage- *before* a *or* o) discourage
découvrir (—, découvrant, découvert, découvre, découvris) discover
décrire (—, décrivant, décrit, décris, décrivis) describe
décrivez *2d pl. imv.* **décrire**
dedans in it
défavorable unfavorable
défini definite
le **degré** degree
déjà already
le **déjeuner** breakfast; **faire un —** have a breakfast
délicieu-x, -se delicious
demain to-morrow
demander ask, ask for
demeurer live, dwell
la **demie** half
démonstrati-f, -ve demonstrative
la **dent** tooth
dépenser spend
déposer deposit, place
depuis since
dériver derive
dernier, dernière last
derrière behind
des (de + les) of the, some
descendre descend, come down
la **description** description
le **désir** desire
désirer desire, wish
dessiner draw, design, sketch

détacher detach

deux two

deuxième second

devant before, in front of

devenir (—, **devenant, devenu, deviens, devins;** *fut.* **deviendrai;** *pres. sub.* **devienne**) become

devoir (—, **devant, dû, dois, dus;** *fut.* **devrai;** *pres. sub.* **doive**) owe, have to, be to, must

le **devoir** exercise

dévorer devour

le **diamant** diamond

la **dictée** dictation

Dieu God

difficile difficult, hard to please

la **digue** dike

le **dindon** turkey

le **dîner** dinner

dire (—, **disant, dit, dis, dis;** *pres. ind. 2d pl.* **dites**) say, tell

direct direct

se **diriger** (**dirige-** *before* **a** *or* **o**) direct one's steps, proceed

disjoncti-f, -ve disjunctive

disparaître (—, **disparaissant, disparu, disparais, disparus**) disappear

disparu *past part.* **disparaître**

la **distance** distance

distinctement distinctly

distribuer distribute

dit, *3d sg. pres. ind.* **dire,** says

dites, *2d pl. imv.* **dire,** say

dix ten

dodo *m.* by-by (*child's word for "sleep"*); **faire — ** go to sleep

le **doigt** finger; **— du milieu** middle finger; **— an-** nulaire ring finger; **le petit —** little finger

doit *3d sg. pres. ind.* **devoir**

le **dollar** dollar

le *or* la **domestique** servant

le **dommage** harm; **c'est — ** it is a pity, it is too bad

donc therefore, then

donner give; **— à coucher** give lodging

dont whose, of whom, of which

doré golden (brown), gilt

dormir (—, **dormant, dormi, dors, dormis**) sleep

le **dos** back

doucement quietly, softly

le **doute** doubt

douter doubt

doux, douce sweet, soft

dramatiser dramatize

droit right

le **droit** right

drôle droll, funny, queer

du (**de + le**) of the, some

durant during

dut *3d sg. past def.* **devoir**

E

l'**eau** *f.* water

s'**échapper** escape

éclatant gorgeous, showy

éclater burst out

une **école** school

écouter listen to

s'**écrier** exclaim

écrire (—, **écrivant, écrit, écris, écrivis**) write

écrit, *past part.* **écrire,** written

écrivez *2d pl. pres. ind.* **écrire**

effacer (**effaç-** *before* **a** *or* **o**) erase

un **effet** effect; **en —** indeed

effrayer (effrai- *before mute syllables*) frighten
également likewise, also
égratigner scratch
eh bien well
un *or* une élève pupil
élever (élèv- *before mute syllables*) bring up, rear, raise; s'— rise, ascend
un elfe elf
elle she, it
elles they, them
embrasser kiss
emmener (emmèn- *before mute syllables*) take
une émotion emotion
un emploi use
employer (emploi- *before mute syllables*) employ, use
emporter carry away
emprunter borrow
en *pron.* from it, with it, some, any
en *prep.* on, in, to
enchanter enchant
encore again, still
encourager (encourage- *before* a *or* o) encourage
l' encre *f.* ink
s'endormir (—, endormant, endormi, endors, endormis) go to sleep; endormi asleep
un endroit place
un *or* une enfant child
enfin finally, at last
s'enfuir (—, enfuyant, enfui, enfuis, enfuis) flee away
enlever (enlèv- *before mute syllables*) take off, remove
ensemble together
ensuite then
entendre hear; c'est entendu that is understood, of course
entêté stubborn
entier, entière entire

entourer surround
entre between
une entrée entrance
entrer (dans) enter; entrera will enter
envelopper envelop, wrap
envers towards
une envie desire; avoir — de desire to, care to
s'envoler fly up (away)
envoyer (—, envoyant, envoyé, envoie, envoyai) send
épais, -se dense, thick
une épaule shoulder
épeler (épell- *before mute syllables*) spell
épouser marry
l' Espagne *f.* Spain
une espèce kind
espérer (espèr- *before mute syllables*) hope
essayer (essai- *before mute syllables*) (de) try, attempt
essentiel, -le essential
est, *3d sg. pres. ind.* être, is
et and
une étable stable
était, *3d sg. imp. ind.* être, was
un étang pond
un état state
un été summer
été *past part.* être
s' étendre stretch oneself
êtes, *2d pl. pres. ind.* être, are
étonner astonish
être (—, étant, été, suis, fus; *fut.* serai; *pres. ind.* suis, es, est, sommes, êtes, sont; *pres. sub.* sois) be; est-ce que vous êtes riche? is it true that you are rich? are you rich?

étudier study
eu *past part.* avoir
eux they, them
exactement exactly
un examen examination
excellent excellent
excepté except
un exemple example, model
s' exercer (exerç- *before* a *or*
o) practise
un exercice exercise
expliquer explain
une expression expression
exprimer express
une extrémité extremity, end

F

faible feeble, weak
la faim hunger; avoir grand'—
be very hungry
faire (—, faisant, fait, fais,
fis; *fut.* ferai; *pres. ind.*
pl. faisons, faites, font;
pres. sub. fasse) make, do
fait *past part.* faire
fait, *3d sg. pres. ind.* faire,
makes, does
faites *2d pl. imv.* faire
falloir (—, *wanting*, fallu,
il faut, il fallut; *fut.* il
faudra) be necessary,
must, have to
fameu-x, -se famous
la famille family
la farine flour
fatiguer tire
faudra *3d sg. fut.* falloir
faut *3d sg. pres. ind.* falloir;
il me — I must have
la faute mistake
favorable favorable
la fée fairy
féminin feminine
la femme woman, wife
la fenêtre window
ferai *1st sg. fut.* faire

ferme hard
fermer shut, close
le fermier farmer
la fête feast, saint's day
le feu fire
la feuille leaf, sheet (*of paper*)
fier, fière proud
la figure face
la fille girl, daughter
le fils son
la fin end
final final
finalement finally
finir finish
la flamme flame
la flaque pool
la fleur flower
la fois time
le fond bottom
fondre melt; — en larmes
burst into tears
forcer (forç- *before* a *or* o)
force
la forêt forest
la forme form
former form
fort strong; hard, very
la fortune fortune
fou, fol (*m. linking form*),
folle crazy; un fou fool
le fourneau cookstove, range
fournir furnish
frais, fraîche fresh
la fraise strawberry
le franc franc
français French
frapper knock, strike, beat
le frère brother
froid cold
le fruit fruit
fut, *past def.* être, was
le futur future (*tense*)

G

gagner gain, earn, win
le garçon boy, waiter

la **garde** guard, care
garder guard, keep, watch
le **gâteau** cake
gauche left
le **gendre** son-in-law
généralement generally
généreu-x, -se generous
le **genre** gender
les **gens** *m.* & *f.* people
gentil, -le nice, gentle
le **gobelet** goblet
la **gorge** throat
gracieusement graciously
gracieu-x, -se gracious, courteous
le **grain** grain
la **grammaire** grammar
grand large, great
grandir grow large
la **grand'mère** grandmother
le **grand-père** grandfather
la **gratitude** gratitude
gratter scratch
grave grave
grimper climb
gris gray
gros, -se big, large, thick
le **groupe** group
guérir cure, heal
la **guerre** war
la **gueule** mouth
Guillaume William

H

[**'h** denotes aspirate *h*]

habiller dress
un **habit** coat, dress; *pl.* clothes
habiter live, dwell, reside
'haut high, loud; **en —** upstairs
hélas ! alas !
Hélène Helen
l' **herbe** *f.* grass
un **héritage** inheritance, legacy
le **'héros** hero
une **heure** hour; **de bonne —**

early; **tout à l'—** just now
heureu-x, -se happy
'heurter strike, knock against
hier yesterday; **—** **soir** yesterday evening
une **histoire** story, history
un **hiver** winter
un **homme** man
honnête honest
une **horloge** clock
'hors de out of
'huit eight

I

une **idée** idea
un **idiotisme** idiom
il, he, it; **— y a** there is, there are
une **image** image, illustration
imaginer imagine
imiter imitate
immédiatement immediately
un **imparfait** imperfect (*tense*)
l' **impatience** *f.* impatience
un **impératif** imperative
implorer implore
important important
impossible impossible
indéfini indefinite
un **index** forefinger
un **indicatif** indicative
indirect indirect
un **infinitif** infinitive
une **infortune** misfortune
inonder inundate, flood
l' **insolence** *f.* insolence
un **instant** instant
une **instruction** instruction
intelligent intelligent
une **intention** intention
intéressant interesting
une **interjection** interjection
interrogati-f, -ve interrogative

intransiti-f, -ve intransitive
inventer invent
inviter invite
irrégulier, irrégulière irregular
un italique italic *(letter)*

J

Jacques James
jalou-x, -se jealous
jamais ever, never
la jambe leg
le jardin garden
jaune yellow
je I
Jeanne Jane
jeter (jett- *before mute syllables*) throw
le jeudi Thursday
jeune young
la joie joy
joli pretty
jouer play
le jouet plaything, toy
le jour day; — de fête holiday; tous les —s every day
le journal newspaper
la journée day
joyeu-x, -se happy
juillet *m.* July
jusque as far as, up to; jusqu'à ce que until
juste right
justement just

L

la the; her, it
là there
laborieu-x, -se industrious
là-dessus thereupon
là-haut up there, up yonder
laid ugly
la laine wool
laisser leave, let, allow
le lait milk

la laitière milkmaid
la lanterne lantern
le lapin rabbit
la larme tear; à chaudes —s bitterly
laver wash
le the; him, it
lécher (lèch- *before mute syllables*) lick
la leçon lesson; — de lecture reading lesson; — de chant singing lesson
la lecture reading; livre de — reader
léger, légère light
le lendemain next day; — matin next morning
lentement slowly
lequel which (one)
les *pl.* the; them
lestement quickly, briskly
la lettre letter
leur their; le — theirs
lever (lèv- *before mute syllables*) raise, lift; se — get up
la liaison linking
le lieu place; au — de in place of
la lieue league
le linge linen
le lion lion
lire (—, lisant, lu, lis, lus) read
lisez *2d pl. imv.* lire
la liste list
le lit bed
lit, *3d sg. pres. ind.* lire, reads
le litre liter
le livre book
le loin distance
le lolo *(child's word for)* milk
long, longue long
Longs-bras Long-Arms
longtemps a long time
Longues-jambes Long-Legs
lorsque when

louer rent
le loup wolf
lourd heavy, sultry
lu *past part.* lire
lui him, her, to him, from him (her)
lui-même himself
la lumière light
la lune moon

M

ma my
la machine machine
Madame madam, Mrs.
Mademoiselle young lady, Miss
magique magic
magnifique magnificent, splendid
maigre scanty, poor
la main hand
maintenant now
le maire mayor
mais but, why
la maison house; à la — home
le maître teacher, master; — d'école school teacher
la maîtresse teacher
la majesté majesty
la majuscule capital letter
mal badly; — prononcer mispronounce
malade sick; le —, la — sick man, sick woman, patient
maladroit awkward
malgré in spite of
le malheur misfortune
malheureu-x, -se unhappy, poor
malin, maligne shrewd, sharpwitted
la maman mamma
manger (mange- *before* a *or* o) eat; mangerez will eat

manquer fail; miss; — à la promesse break the promise
le manteau cloak
marcher walk
le mariage marriage
marier (*give or unite in marriage*) marry; se — avec marry; les nouveaux mariés newly married couple
le marin sailor
le marquis marquis
la marraine godmother
masculin masculine
le matin morning; tous les —s every morning
mauvais bad
me me, to me; — voilà here I am
méchant naughty, bad, wicked
mécontent dissatisfied
le médecin doctor
meilleur better; le — best
le membre member
même same; even, also, very; quand — anyway
la ménagerie menagerie
la mer sea; la Mer Rouge Red Sea
merci thanks; — bien many thanks
la mère mother
mériter deserve
merveilleu-x, -se marvelous, wonderful
mes my
met, *3d sg. pres. ind.* mettre, puts
mettez, *2d pl. imv.* mettre, put
mettre (—, mettant, mis, mets, mis) put, place; se — sit down, begin
les meubles *m.* furniture

le **meunier** miller
le **midi** noon
   mieux better, more
le **milieu** middle; **le doigt du
   —** middle finger
mille thousand
le **mille** mile
le **minuit** midnight
la **minuscule** small letter
la **minute** minute
   mis *past part.* **mettre**
   m i s é r a b l e miserable,
      wretched
le **mobilier** furniture
le **mode** mood (*grammar*); **la
   —** fashion
   moi me, I
   moi-même myself
   moins less; **du —** at least
le **mois** month
le **moment** moment
   mon my
   Monsieur sir, gentleman,
      Mr.
la **montagne** mountain
   monter mount, ascend,
      rise
   montrer show
se **moquer (de)** make fun
      (of)
le **morceau** piece (*fragment*)
   mordre bite
   mort *past part.* **mourir;**
      adj. dead
la **mort** death
le **mot** word
le **mouchoir** handkerchief
   moudre grind
se **mouiller** get wet
le **moulin** mill
   **mourir (—, mourant, mort,
      meurs, mourus,** *fut.*
      mourrai) die
le **mouton** sheep
le **moyen** means
   muet, -te mute, silent
le **mur** wall

   mûr ripe
la **musique** music

N

le **nain** dwarf
   **naître (—, naissant, né,
      nais, naquis)** be born
la **nappe** tablecloth
   nasal nasal
   né *past part.* **naître**
   ne: — . . . **guère** hardly; **—**
      . . . **jamais** never; **—** . . .
      ni . . . **ni** neither . . . nor;
      — . . . **pas** not; **—** . . .
      personne nobody, no one;
      — . . . **plus** no longer; **—**
      . . . **que** only, but; **—**
      . . . **rien** nothing
   nécessaire necessary
   négati-f, -ve negative
   n'est-ce pas do they not,
      have they, is it not,
      etc.
   neuf, neuve new
   neuf nine
le **nid** nest
   Noël *m.* Christmas; **le Père
      —** Santa Claus
   noir black; **il fait —** it is
      dark
la **noix** nut
le **nom** name, noun
le **nombre** number
   nommer call, name
   non no; **ni moi — plus** nor
      I either
la **Normandie** Normandy
   notre our
le **nôtre** ours
   nourrir nourish, feed
   nous we, us
   nous-mêmes ourselves
   nouveau, nouvel (*m. linking
      form*), **nouvelle** new; **de
      nouveau** again
la **nouvelle** new

novembre *m.* November
se noyer (noi- *before mute syllables*) drown
le nuage cloud
la nuit night; il fait — it is night

O

obéir (à) obey
obliger (oblige- *before* a *or* o) oblige
observer observe
un œil eye
Œil-de-faucon Falcon-Eye
un œuf egg
offrir (—, offrant, offert, offre, offris) offer
un ogre ogre
oh ! oh !
un oiseau bird
on one, they
un oncle uncle
onze eleven
une opinion opinion
l' or *m.* gold
un orage storm
oral oral
ordinal ordinal
ordonner order, command
une ordre order
une oreille ear
un oreiller pillow
orgueilleu-x, -se proud
original original
un os bone
oser dare
ôter take off
ou or
où where, in which; d'— from where, whence
oublier forget
oui yes
un ours bear
ouvert *past part.* ouvrir; *adj.* open
ouvrir (—, ouvrant, ouvert,

ouvre, ouvris) open; s'— open

P

la page page (*of a book*)
la paille straw
le pain bread, loaf of bread
la paire pair
le palais palace
le panier basket
la pantoufle slipper
papa papa
le papier paper
par through, by, with; — là that way; une fois — an once a year
le paragraphe paragraph
paraît *3d sg. pres. ind.* paraître
paraître (—, paraissant, paru, parais, parus) appear
le parc park
parce que because, as
pardonner (à) pardon
le parent relative; les —s parents
la parenthèse parenthesis
paresseu-x, -se lazy
parfaitement perfectly
parler speak, talk; entendre — de hear of
parmi among
la parole word
la part part; de ma — from me
le parterre (flower)bed
le participe participle
la partie part; — du discours part of speech
partir (—, partant, parti, pars, partis) leave, set out
partiti-f, -ve partitive
partout everywhere
parut *3d sg. past def.* paraître

le **passé** past; le **— défini
(indéfini)** past definite
(indefinite)

passer pass, go; se **—** take
place

patient patient

la **patrie** native land

la **patte** paw, foot, leg

pauvre poor

la **paye** pay

le **pays** country

le **paysan** peasant

la **peau** skin

le **peigne** comb

peigner comb

peindre (**—, peignant, peint,
peins, peignis**) paint

la **peine** pain; à **—** hardly

le **peintre** painter

pendant during; **— que**
while

pendre hang (up)

pénétrer (**pénètr-** *before
mute syllables*) enter, get
into

penser think

se **percher** perch on, light on

perdre lose

la **perdrix** partridge

le **père** father

la **perle** pearl

permettre (**—, permettant,
permis, permets, permis**)
permit

le **perroquet** parrot

le **personnage** person, charac-
ter

la **personne** person

la **perte** loss

petit little, small; les **—s**
little ones

le **petit-fils** grandson

peu little; **avant —** before
long

la **peur** fear; **avoir — de** be
afraid of; **de — que** for
fear that

peut, *3d sg. pres. ind.*
pouvoir, can

peut-être perhaps

la **phrase** sentence

le **pic noir** woodpecker

la **pièce** piece (*an entire
thing*)

le **pied** foot

le **piédestal** pedestal

Pierre Peter

la **pierre** stone

le **pigeon** pigeon

le **pin** pine tree

le **pinceau** brush

piou ! peep !

la **pitié** pity

la **place** place

plaire (**—, plaisant, plu,
plais, plus**) please; **s'il
vous plaît** if you please;
plaît-il what did you
say ?

le **plaisir** pleasure

le **plan** plan, outline

le **plancher** floor

la **plante** plant

le **plat** dish

plein full

pleurer weep, cry; **en pleurant** weeping

les **pleurs** *m.* tears

pleuvoir (**—, pleuvant, plu,
il pleut, il plut**) rain

plier fold

la **pluie** rain; **il fait de la —**
it is rainy

la **plume** feather, pen

le **pluriel** plural

plus more; **ne . . . —** no
longer

le **plus-que-parfait** pluperfect

la **poche** pocket

le **poêle** stove

la **poignée** handful

le **poil** hair (*of animals*)

le **point** point; **sur le — de**
on the point of; **— de**

vue point of view; au —
que until
la poire pear
les pois *m.* peas
le poisson fish
la poix pitch
poli polite
la pomme apple; — de terre
potato
le pommier apple tree
ponctuel, -le punctual
le pont bridge
populaire popular
la porte door
porter carry, bear, wear;
se — bien (mal) be
well (ill)
le portrait portrait
poser put, place; se —
alight
le positif positive
possessi-f, -ve possessive
possible possible
le pot jar; — au lait milk jar
le pouce thumb
la poule hen
le poulet chicken
la poupée doll
pour for, in order to, to;
— que in order that
pourquoi why
la poursuite pursuit, chase
pourtant yet, however
pousser shoot up, grow
le poussin little chicken
pouvez, 2d pl. pres. ind.
pouvoir, can, may
pouvoir (—, pouvant, pu,
peux, pus, *fut.* pourrai,
pres. sub. puisse) be able,
can; il se peut it is
possible
précédent preceding
précéder (précèd- *before
mute syllables*) precede
le précepteur preceptor, tutor
se précipiter rush

préférer (préfèr- *before
mute syllables*) prefer
premier, première first
prend, *3d sg. pres. ind.*
prendre, takes
prendre (—, prenant, pris,
prends, pris) take
prenez 2d pl. pres. ind. or
imv. prendre
prennent, *3d pl. pres. ind.*
prendre, take
préparer prepare
la préposition preposition
près de near
le présent present; à — at
present, now
présenter present
presque almost
se presser make haste, hurry
prêt ready
prêter lend
prier pray, beg
la prière prayer
primiti-f, -ve primitive; les
temps primitifs principal
parts
le prince prince
la princesse princess
pris *past part.* prendre
le prix price, prize; à tout —
at any price
prochain next
se promener (promèn- *before
mute syllables*) take a
walk
la promesse promise
promettent 3d pl. pres. ind.
promettre
promettre (—, promettant,
promis, promets, promis)
promise
le pronom pronoun
prononcer (prononç- *before
a or* o) pronounce
la prononciation pronunciation
le propos: à — de with re-
gard to

propre proper, clean
le **proverbe** proverb
pu *past part.* **pouvoir**
publier publish
puis then
puis *1st sg. pres. ind.* **pouvoir**
puiser draw
puisque since
punir punish
pur pure

Q

qualificati-f, -ve modifying
qualifier qualify, modify
la **qualité** quality
quand when
quant à as to, as for
la **quantité** quantity
le **quart** quarter
quatre four
quatrième fourth
que what, that; when
quel, -le what, what kind of
quelque some; — **chose** *m.*
   something; — **part**
   somewhere
quelquefois sometimes
quelqu'un some one; **quel-
   ques-uns, quelques-unes**
   some
**qu'est-ce que? qu'est-ce
   qui?** what?
la **question** question
la **queue** tail
qui who, whom; **ce —**
   what
quitter leave
quoi what; **n'importe —**
   anything, no matter
   what
quoique although

R

raconter tell, relate
le **raisin** grape

la **raison** reason; **avoir —** be
   right
ramasser pick up, col-
   lect
ramener (**ramèn-** *before
   mute syllables*) bring back
ramer row
se **rappeler** (**rapell-** *before mute
   syllables*) remember
rapporter bring back
se **rapprocher** (**de**) approach
   again
recevoir (**—, recevant, reçu,
   reçois, reçus**) receive
réciter recite
reçoit, *3d sg. pres. ind.*
   recevoir, receives
la **récolte** crop, harvest
recommencer (**recommenç-**
   before **a** *or* **o**) begin
   again
la **récompense** reward
récompenser reward
se **recoucher** go to bed again
reçu, *past part.* **recevoir**,
   received
redevenir (**—, redevenant,
   redevenu, redeviens,
   redevins**) become again
refermer close again
réfléchi reflexive
réfléchir reflect
refuser refuse
regarder look (at)
la **règle** rule
regretter regret
régulier, régulière regular
régulièrement regularly
la **reine** queen
se **réjouir** rejoice
relati-f, -ve relative
relire (**—, relisant, relu,
   relis, relis**) read again
remarquer notice
remercier thank
remettre (**—, remettant,
   remis, remets, remis**) put

back again, hand in; **se — begin again**

remplacer (**remplaç-** *before* **a** *or* **o**) replace

remplir (**de**) fill

remporter win

le **renard** fox

rencontrer meet

rendre render, make; give back, return; **se — proceed, go**

rentrer return

se **renverser** upset

répandre scatter, spread

repasser review

répéter (**répèt-** *before mute syllables*) repeat

répondre reply, answer

la **réponse** reply

reporter take back

se **reposer** rest

reprendre (**—, reprenant, repris, reprends, repris**) take again; reply, answer

la **résolution** resolution

resplendir shine

ressembler (**à**) resemble

le **reste** rest

rester remain

le **retard** delay; **en — late**

retirer draw out, take out

retourner return

retrouver get back, recover, find again

réussir succeed

se **réveiller** waken

revenir (**—, revenant, revenu, reviens, revins**) return, come back

revoir (**—, revoyant, revu, revois, revis**) see again

riche rich

la **richesse** riches

ridicule ridiculous

rien nothing

rire (**—, riant, ri, ris, ris**) laugh; **éclater de — burst out laughing**

rit, *3d sg. pres. ind.* **rire,** laughs

la **rivière** river

la **robe** dress

le **roi** king

le **rôle** rôle, part

la **rose** rose

le **rouet** spinning wheel

rouge red

rougir blush

rouler roll

royal royal

rude rough

la **rue** street

S

sa his, her

le **sable** sand

le **sabot** wooden shoe

le **sac** sack

sage wise, good

saisir seize

la **saison** season

salé salty

la **salle** large room; **— de classe** classroom; **— à manger** dining room

sans without

satisfaire (**—, satisfaisant, satisfait, satisfais, satisfis**) satisfy

satisfait satisfied

sauter jump, spring

sauver save; **se — run away, escape**

savent *3d pl. pres. ind.* **savoir**

savez *2d pl. pres. ind.* **savoir**

savoir (**—, sachant, su, sais, sus,** *fut.* **saurai,** *pres. sub.* **sache**) know, can

la **scène** scene

se himself, herself, themselves

le **seau** pail, bucket
second second
secouer shake
le **secours** help
le **seigneur** lord
le **sel** salt
la **semaine** week
sembler seem, appear
le **sens** sense
se **sentir** (—, **sentant, senti,
sens, sentis**) feel
sept seven
septième seventh
sera 3d sg. fut. **être**
la **servante** servant
le **service** service
servir (—, **servant, servi,
sers, servis**) serve
le **serviteur** servant
ses his, her, its
le **seuil** threshold
seul single, alone
seulement only
sévère severe
si so
si whether, if
le **sien** his, hers
la **signification** meaning
signifier signify, mean
le **silence** silence
simple simple
le **singe** monkey
le **singulier** singular
situé situated
six six
sixième sixth
la **sœur** sister
la **soif** thirst; **avoir** — be
thirsty
soigner take care of, look
after
le **soir** evening
le **soleil** sun
sombre sombre; **il fait** —
it is dark
le **sommeil** sleep; **avoir** — be
sleepy

son his, her
le **son** sound
sonner sound, strike
sont, 3d pl. pres. ind. **être,**
are
la **sorcière** witch
sortir (—, **sortant, sorti,
sors, sortis**) leave, go
out
sot, sotte foolish, stupid;
un sot fool
souffler blow
souffrir (—, **souffrant,
souffert, souffre, souffris**)
suffer, permit
le **souhait** wish
souhaiter wish
le **soulier** shoe
la **soupe** soup
le **souper** supper
sourd deaf
sourire (—, **souriant, souri,
souris, souris**) smile
la **souris** mouse
sous under
se **souvenir** (—, **souvenant,
souvenu, me souviens,
me souvins**) (**de**) remember
souvent often
soyez, 2d pl. imv. **être,** be
la **statue** statue
le **subjonctif** subjunctive
le **substantif** substantive
le **sucre** sugar
suffire (—, **suffisant, suffi,
suffis, suffis**) suffice, be
enough
suffisant sufficient, enough
suis, 1st sg. pres. ind. **être,**
am; see also **suivre**
la **suite** continuation; **tout de
—** at once
suivant, pres. part. **suivre,**
following
suivre (—, **suivant, suivi,
suis, suivis**) follow

le **sujet** subject
superbe superb, splendid
supérieur superior
le **superlatif** superlative
sur on
sûr sure
surpris surprised
surveiller watch over, look after
suspendre suspend, hang
le **syllabe** syllable
le **synonyme** synonym
la **synopsis** synopsis

T

la **table** table
le **tableau** picture; — **noir** blackboard
le **tablier** apron
tant so much
la **tante** aunt
tard late
tarder (à) be long
la **tasse** cup
le **temps** time, weather, tense; — **composé** compound tense; les — **primitifs** principal parts
tenir (—, tenant, tenu, tiens, tins, *fut.* tiendrai) hold, keep; — **à** insist on; se — **debout** stand
la **terminaison** ending
terminer end
la **terre** ground, earth
terrible terrible
le **testament**: l'Ancien T—, le Nouveau T— Old (New) Testament
la **tête** head
le **texte** text
le **thème** exercise
le **tien** thine
tiens! to be sure! there! look here!
tirer draw

le **tiret** dash
le **titre** title
le **toit** roof
tomber fall
le **ton** tone
le **tort** wrong; **avoir** — be wrong
toujours always, still; **disent** — keep saying
tous *pl. of* tout
tout, toute all; quite, entirely; — **de suite** at once; — **à coup** all at once; — **à fait** entirely; — **le long** all along
traduire (—, traduisant, traduit, traduis, traduisis) translate; se — be translated
traduisez *2d pl. imv.* traduire
le **train**: être en — **de** be in the act of, be busy
traire (—, trayant, trait, trais, *wanting*) milk
tranquille tranquil; **soyez** — rest easy
transiti-f, -ve transitive
le **travail** work
travailler work
le **travailleur** workman
traverser go through, cross
très very, very much
tricoter knit
triste sad
tristement sadly
trois three
troisième third
la **trompe** trumpet
trop too, too much
le **trou** hole
la **troupe** troop, flock
trouver find; se — be; — **bon** approve; — **mauvais** disapprove
tu thou
tuer kill

U

un, une a, an; one
unique only
usuel, -le usual

V

va, *3d sg. pres. ind.* **aller,** goes, is going; **s'en —** goes away
la **vache** cow
vain vain
vais, *1st sg. pres. ind.* **aller,** am going
le **valet** servant
valoir (—, **valant, valu, vaux, valus**) be worth
vaut *3d sg. pres. ind.* **valoir**
vécurent *3d pl. past def.* **vivre**
la **veille** day or night before; **— de Noël** Christmas eve
veiller watch
vendre sell
venez *2d pl. pres. ind.* **venir**
venir (—, **venant, venu, viens, vins,** *fut.* **viendrai,** *pres. sub.* **vienne** come; **il vient d'ouvrir** he has just opened
le **vent** wind; **il fait du —** it is windy
le **ventre** stomach, belly
venu *past part.* **venir**
le **ver** worm
le **verbe** verb
la **verdure** verdure
le **verre** glass
vers towards
verser pour
la **veste** jacket
vêtir (—, **vêtant, vêtu, vêts, vêtis**) dress
veut, *3d sg. pres. ind.* **vouloir,** wishes

la **veuve** widow
veux, *1st sg. pres. ind.* **vouloir,** wish
la **viande** meat
vide empty
la **vie** life
vieil *m. linking form of* **vieux**
le **vieillard** old man
vieille *f. of* **vieux** old, old woman
vient *3d sg. pres. ind.* **venir**
vieux old
vilain ugly
le **village** village
la **ville** city
le **vin** wine
vingt twenty
la **visite** visit, call
visiter visit
vite quickly
la **vitesse** speed; **à toute —** at full speed
vivant living, alive
vivre (—, **vivant, vécu, vis, vécus**) live
le **vocabulaire** vocabulary
voici here is, here are
voilà there is, there are; **— que** suddenly, thereupon
voir (—, **voyant, vu, vois, vis,** *fut.* **verrai**) see
voisin neighboring; **le —, la —e** neighbor
voit, *3d sg. pres. ind.* **voir,** sees
la **voiture** carriage
la **voix** voice; **à haute —** aloud; **à — basse** low
voler steal; fly
le **voleur** thief
la **volonté** will
vont, *3d pl. pres. ind.* **aller,** are going
vos your
votre your
le **vôtre** yours

voudrais, *1st sg. cond.* **vouloir,** I should like

voulez, *2d pl. pres. ind.* vouloir, wish, will

vouloir (—, voulant, voulu, veux, voulus, *fut.* voudrai) wish, will; — dire mean; je veux bien I am willing

vous you

vous-même yourself

la voyelle vowel

voyez, *2d pl. imv.* **voir,** see

vrai true

vraiment really, truly

vu *past part.* **voir**

la vue sight; perdre de — lose sight of

Y

y there

les yeux, *pl. of* œil, eyes

VOCABULAIRE ANGLAIS-FRANÇAIS

A

a, an un, une
able: be — pouvoir
accept accepter
accompany accompagner
account: on — of à cause de
accustomed: be — avoir coutume de
act agir
add ajouter
advice le conseil
advise conseiller de
afraid: be — avoir peur de
after après
afternoon un après-midi, une après-midi
again encore, de nouveau
aid aider
air air m.
all tout; — at once tout à coup
alone seul
also aussi
although quoique, bien que
always toujours
American américain
and et
angrily de colère
answer répondre à
any one quelqu'un; not — ne ... personne
approach s'approcher de
April avril m.
around autour de
arrive arriver
artist un artiste, une artiste
as many autant
ask for demander
astonish étonner

at à; — once immédiatement, tout de suite
attention: pay — faire attention à
August août m.
aunt la tante
await attendre
awake se réveiller
awkward maladroit

B

back le dos
bad méchant; it is too — c'est dommage; it is — weather il fait mauvais
baker le boulanger
bakery la boulangerie
bark aboyer
basket le panier
be être; there is, there are il y a, voilà
beak le bec
beast la bête
beat battre
beautiful beau
because parce que
become devenir
bed le lit
before avant, avant de; avant que
begin commencer à, se mettre à
behind derrière
believe croire
bell (little) la clochette
better adj. meilleur; adv. mieux
best le meilleur
big gros
bird un oiseau

179

le
d
gir
orps
ivre
e bas
arçon
e pain
casser
ast le déjeuner
apporter; — **back**
porter
er le frère
n le pinceau
d bâtir
n brûler
st: — **into tears** fondre en
larmes; — **out laughing**
éclater de rire
usiness les affaires *f.*
usy: be — être en train de
out mais
buy acheter

C

cabin la cabane
cake le gâteau
calamity la calamité
call appeler; — **oneself, be
called** s'appeler
can pouvoir; **I** — je peux
candy le bonbon, les bonbons
cap le bonnet
care: — **to** avoir envie de; —
for soigner; **take** — **to** faire
attention de, prendre garde
carriage la voiture
carry porter; — **away** emporter
castle le château
cat le chat
cause faire
cease cesser de
celebrated célèbre
certain certain

chair la chaise
chalk la craie
charming charmant
chicken le poulet; **little** — le
poussin
child un enfant, une enfant
choose choisir
Christmas Noël *m.*; — **eve** la
veille de Noël; — **tree** un
arbre de Noël
city la ville
classroom la salle de classe
climb grimper
cloak le manteau
clock une horloge
close fermer
cloth: table — la nappe
coarse rude
coffee le café
cold: I am — j'ai froid; **it is** —
il fait froid
come venir; — **back** revenir
commence commencer
compose composer
conceal (se) cacher
concert le concert
conscience la conscience
consent consentir à
continue continuer à, de
cook le cuisinier
cook cuire
count compter
country le pays
cousin le cousin, la cousine
cow la vache
cradle le berceau
cry (*out*) s'écrier; (*weep*) pleurer
cure guérir
cut couper

D

dance danser
dare oser
daughter la fille
day le jour; **every** — tous les
jours

dead mort
deal: a great — beaucoup
dear cher
December décembre m.
decide se décider à
dense épais
descend descendre
desire désirer; le désir
devour dévorer
die mourir
dike la digue
dinner le dîner
disappear disparaître
displeased mécontent
distribute distribuer
do faire
doctor le médecin
dog le chien
doll la poupée
dollar le dollar
donkey un âne
door la porte
doubt douter; le doute
draw retirer; (pictures) dessiner
dress habiller; la robe
during pendant
dwarf le nain

E

each chaque
ear une oreille
early de bonne heure
eat manger
egg un œuf
eight huit
elf un elfe
empty vide
enjoy: — oneself s'amuser à
enough suffisant, assez
enter entrer dans
entire entier
escape se sauver, s'échapper
evening le soir; last — hier soir
every chaque; everything tout
expect attendre
eye un œil; pl. les yeux

F

face la figure
fail manquer de
fairy la fée
fall tomber
family la famille
famous fameux
farmer le fermier
fast vite
father le père
fear craindre; for — that de
peur que
feather la plume
February février m.
feed nourrir
feel sentir
feeling une émotion
fetch aller chercher
field le champ
fifteen quinze
fill (with) remplir (de)
find trouver
fine beau
finger le doigt; middle — le
doigt du milieu
finish finir
fitting: it is — il convient
five cinq
flame la flamme
floor le plancher
flour la farine
flower la fleur
flower bed le parterre
fly voler; — away s'envoler
follow suivre
foot le pied
for pour
forbid défendre
forest la forêt
forget oublier
form former
fortunate: it is — il est heureux
four quatre
fourteen quatorze
fox le renard
franc le franc

edi
une amie
ayé
x

f devant, en avant

n (de)
— of se moquer de
nir
mobilier
se) le futur; l'a-

G

jardin
généreux
up se lever; —rid of
rrasser de
deau
le
ner; — heed to faire
ion à
tent, heureux
r; — in entrer dans;
ut sortir; — to sleep
ormir; — away s'en
; — to bed se coucher
la chèvre
(adj.) d'or
od (to) bon (pour, envers)
odness la bonté
randfather le grand-père
grandmother la grand'mère
grandson le petit-fils
grass l'herbe f.
group le groupe
grow large grandir
guard garder

H

hair les cheveux m.; les poils m.
hand la main

hang up pendre
happy heureux
hat le chapeau
have avoir; I — to il me faut
he il
head la tête
heal guérir
hear entendre; — of entendre
  parler de
heavy lourd
Helen Hélène
help aider; —! au secours!
hen la poule
Henry Henri
her son
here ici; — is (are) voici
hers le sien
hide se cacher
him lui
his son
hold tenir
hole le trou
home à la maison
hood le chaperon
hope espérer
horse le cheval
hot: be — faire (avoir) chaud
house la maison
how comme, comment
hundred cent
hungry be very — avoir grand'
  faim

I

I je
if si
image une image
implore implorer
impossible impossible
in, into dans
inn une auberge
innkeeper un aubergiste
insist on tenir à
instead of au lieu de
intelligent intelligent
invite inviter

is est
it le, la
itself se

J

James Jacques
January janvier *m.*
jar le pot (au lait)
July juillet *m.*
jump sauter
June juin *m.*
just juste; **have** — venir de

K

keep garder
kid le chevreau
kill tuer
kind: what — **of** quel
kindness la bonté
king le roi
kiss embrasser; le baiser
kitchen la cuisine
knife le couteau
knitting needle une aiguille à tricoter
knock frapper
know savoir

L

lady la dame
lantern la lanterne
large gros, grand
lark une alouette
last dernier; — **year** l'année dernière; **at** — enfin
late tard, en retard
latter celui-ci
laugh rire
lazy paresseux
learn apprendre
least: at — du moins
leave s'en aller, partir, sortir, quitter
leg la jambe, la patte
less moins

lesson la leçon
let laisser
letter la lettre
lie down se coucher
like aimer; **would** — voudrais; *adv.* comme
listen écouter
listener un auditeur
little petit; **a** — un peu
live demeurer
long: how — depuis quand; **be** — tarder à; *adv.* longtemps
look: — **at** regarder; — **for** chercher
lose perdre
love aimer

M

machine la machine
magic magique
maid la servante
make faire; — **white** blanchir; — **happy** rendre heureux; — **sure to** faire attention de
man un homme; **the old** — le vieil homme, le vieillard
many beaucoup (de); **as** — autant (de)
March mars *m.*
marry épouser, se marier avec; (*give or unite in marriage*) marier
master le maître
May mai *m.*
mayor le maire
me me, moi
meat la viande
meet rencontrer
midst le milieu
milk le lait
milkmaid la laitière
mill le moulin
miller le meunier
mine le mien
mistress la maîtresse
moment le moment

any — ne . . .

tin; every —
s

e, la gueule

N

m; my — is je

hant

cessaire
collier
besoin de
voisin, la voisine
nor ne . . . ni . . . ni

. . jamais

n, prochain
uit

ne . . . plus
midi
. . . pas
ng ne . . . rien
e remarquer
rish nourrir
ovember novembre m.
ow maintenant

O

obey obéir à
oblige obliger

o'clock: eight — huit heures
October octobre m.
of de
old vieux; she is six years —
elle a six ans, elle est âgée de
six ans
on sur, en
one on, un; no — ne . . . personne
only ne . . . que, seulement
open ouvrir
or ou
order ordonner
other autre; count on —s
compter sur autrui
our notre
ours le nôtre
ourselves nous-mêmes

P

pail le seau
paint peindre
painter le peintre
palace le palais
parrot le perroquet
part la partie
pass passer
patient patient
pear la poire
pearl la perle
peas les pois m.
peasant le paysan
people les gens; (indefinite) on
perceive apercevoir
permit permettre (de)
person la personne
Peter Pierre
pick cueillir; — up ramasser
piece la pièce, le morceau
pig le cochon
pigeon le pigeon
place mettre
plant la plante
play jouer
pleased content
pocket la poche

pond un étang
pool la flaque
poor pauvre
portrait le portrait
possible possible
potato la pomme de terre
pray prier, faire une prière
prayer la prière
preceptor le précepteur
prefer préférer
prepare préparer
present présenter; le cadeau
pretty joli
prevent empêcher
price le prix; at any — à tout
   prix
prince le prince
princess la princesse
prize le prix
promise promettre; la promesse
proud fier
punctual ponctuel
punish punir
pupil un élève, une élève
pure pur
pursuit la poursuite
put mettre; — again remettre

Q

quarter: at a — after twelve à
   midi et quart
queen la reine
quickly vite
quite très, bien

R

rain la pluie
raise lever
raven le corbeau
read lire
ready prêt à
receive recevoir
recompense récompenser
red rouge; Little Red Riding-
   hood le Petit Chaperon Rouge

reflect réfléchir
refuse refuser
regret regretter
remain rester
remove ôter
rent louer
repeat répéter
reply répondre à
return rentrer, retourner, revenir
reward récompenser
rich riche
right juste; be — avoir raison
ring finger le doigt annulaire
rise se lever
river la rivière
rock bercer
room la chambre
run courir

S

sack le sac, le cornet
sad triste
sadly tristement
sailor le marin
salt le sel
salty salé
sand le sable
Santa Claus le Père Noël
satisfy satisfaire
Saturday le samedi
save sauver
say dire
school une école
scratch gratter
sea la mer; Red Sea la Mer
   Rouge
seated assis
see voir; — again revoir
seize saisir
sell vendre
send envoyer
September septembre *m.*
servant le serviteur, la domestique
service le service
set out partir

seven sept
seventh septième
shake secouer
she elle
sheep le mouton
shoe le soulier
show montrer
shut fermer
sick malade
sing chanter
singer le chanteur, la chanteuse
sister la sœur
sit: — down s'asseoir, se mettre
  (à table)
sitting assis
six six
sleep dormir; le sommeil
sleepy: be — avoir sommeil
slice: — of bread and butter
  la beurrée
slow: be — in tarder à
small petit
smile sourire
so si
soften adoucir
some de + def. art., quelque;
  someone quelqu'un
son le fils
song la chanson
soon bientôt
soup la soupe
speak parler
speed la vitesse; at full — à
  toute vitesse
stable une étable
spinning wheel le rouet
spring sauter
start: — on the way reprendre
  le chemin de
stay rester
steal voler
stepmother la belle-mère
stepsister la belle-sœur
stick le bâton
stocking le bas
stone la pierre
stop s'arrêter; — up boucher

story une histoire
stove le poêle, le fourneau
strawberry la fraise
strike heurter, frapper
stubborn entêté
study étudier
succeed réussir (à)
suddenly tout à coup
sugar le sucre
summer un été
Sunday le dimanche
superior supérieur
surprised surpris
sure sûr
surround entourer
suspend suspendre

T

table la table
tablecloth la nappe
tail la queue
take prendre; — along em-
  mener; — care of soigner;
  — off ôter, enlever
teacher le maître, la maîtresse
tears les pleurs m.
tell dire, raconter
ten dix
terrible terrible
than que
thank remercier (quelqu'un de
  quelque chose)
thanks merci (bien)
that cela; qui, que
the le, la, les
their leur
them eux, elles
then puis
they ils, elles
there là, y; — are il y a, voilà
these ces
thick épais
thing la chose
think of penser à; (have an
  opinion of) penser de
thirsty: be — avoir soif

this ce
those ces, ceux
thousand mille
three trois
through par
throw jeter
Thursday le jeudi
thus ainsi
time le temps, la fois; once upon a — une fois
tired fatigué
to chez, à
to-day aujourd'hui
to-morrow demain
too aussi, trop
towards vers
tree un arbre; candy — un arbre aux bonbons
Tuesday le mardi
turkey le dindon
twelve douze
twenty vingt
two deux

U

uncle un oncle
under sous
understand comprendre
unhappy malheureux
until jusqu'à ce que
us nous

V

vain: I look in — j'ai beau chercher
very très
village le village
visit la visite
voice la voix

W

wait attendre
wake up se réveiller

walk marcher; take a —, go walking se promener
want vouloir
warm: be — avoir chaud, faire chaud
watch: — over veiller sur, garder
water eau f.
way le chemin; any— quand même
we nous
weak faible
wear porter
weather le temps; it is fine — il fait beau
Wednesday le mercredi
week la semaine
weep pleurer
well bien; be — se porter bien
what ce qui, ce que; qu'est-ce que ? quel
wheat le blé
when quand
whence d'où
where où
whether si
which qui, que
while pendant que; — weeping en pleurant
white blanc
whiten blanchir
who qui
whole tout
whose à qui, dont
why pourquoi
wicked méchant
wife la femme
William Guillaume
willing: I am — je veux bien
wind le vent
window la fenêtre
wing une aile
wish souhaiter, vouloir; le souhait
witch la sorcière
with avec

without sans
wolf le loup
woman la femme
woodpecker le pic noir
woods le bois
word le mot, la parole
work travailler; le travail
worth: be — valoir
write écrire
wrong: be — avoir tort

Y

year un an, une année
yellow jaune
yes oui
yet: not — pas encore
you vous
young jeune
your votre
yours le vôtre

non